Les éditions du soleil de minuit

3560, chemin du Beau-Site,
Saint-Damien-de-Brandon (Québec) J0K 2E0

De la même auteure,
aux Éditions du soleil de minuit :

Collection album du crépuscule
Le royaume de Nedji, 2011
Sélectionné par Communication-Jeunesse

Chez d'autres éditeurs :
Pour les 11 ans et plus
Ici, là et ailleurs, Soulières éditeur, 2017
Gabrielle au bout du monde, Soulières éditeur, 2016
Besoin d'air, Dominique et compagnie, 2015
Un tourbillon dans la tête, Soulières éditeur, 2013
Lola et le fleuve, Bouton d'or Acadie, 2009
Pour les plus jeunes
Série *La classe de madame Édith*, Dominique et compagnie
Série *Rouge Tomate*, Boréal Maboul
Série *Camille et Léo*, Éditions du Phœnix
Gentils monstres, La Grande Marée, 2016
L'arc-en-ciel, Éditions de l'Isatis, 2014
Le coeur en chocolat, Dominique et compagnie, 2013
Poèmes des mers/Poèmes des terres, Soulières éditeur, 2012
Poèmes des villes/Poèmes des champs, Soulières éditeur, 2009
Les saisons d'Henri, Soulières éditeur, 2006
Autour de Gabrielle, Soulières éditeur, 2003

Biographie de l'auteure

Artiste effervescente, voyageuse passionnée, Édith Bourget écarquille les yeux pour ne rien manquer de ce qui l'entoure. Sensible à la beauté du monde, des couleurs et des mots, elle a toujours su que les arts prendraient une grande place dans sa vie. Elle a étudié en communication graphique et en création littéraire, puis s'est consacrée à la création d'expositions multidisciplinaires, amalgamant tableaux, poèmes, performances et installations.

Avec curiosité et audace, Édith explore tous les genres littéraires et aborde des sujets tantôt légers, tantôt profonds, mais toujours avec sensibilité et un grand souci de la langue. De l'album pour les tout-petits au roman pour les adolescents, ses livres posent un regard amoureux sur la vie et les gens.

Où est ma maison?

Édith Bourget

Les éditions du soleil de minuit

Les éditions du soleil de minuit
remercient la Société de développement des entreprises culturelles Québec
de l'aide accordée à leur programme de publication.

Les éditions du soleil de minuit bénéficient également du Programme de crédit d'impôt pour l'édition de livres – Gestion Sodec – du gouvernement du Québec.

Illustration de la page couverture : Jessie Chrétien
Montage infographique : LézArt Graphique
Révision linguistique : Diane Bergeron
Correction des épreuves : Anne-Marie Théorêt

Dépôt légal, 2019
Bibliothèque et archives nationales du Québec
Bibliothèque et archives Canada

Catalogage avant publication de Bibliothèque et Archives nationales du Québec et Bibliothèque et Archives Canada

Titre: Où est ma maison? / Édith Bourget.
Noms: Bourget, Édith, 1954- auteur.
Identifiants: Canadiana 20189433728 | ISBN 9782924279168
Classification: LCC PS8553.O854797 O9 2019 | CDD jC843/.54—dc23

Merci au Conseil des arts
du Nouveau-Brunswick
pour la bourse de création
qui m'a permis d'écrire
ce roman pour adolescents
traitant d'un sujet grave
et essentiel.
Merci de me permettre
d'explorer tous
ces chemins si humains.

Merci à Adis Simidzija,
Louisette Pouliot, Laura
Doyle Péan et Diane Groulx
qui ont éclairé mon roman
par leurs témoignages
sensibles.

AVANT-PROPOS

À l'automne 2015, la guerre fait toujours rage en Syrie, entrainant une migration de la population fuyant le conflit. Le gouvernement canadien annonce qu'il accueillera 25 000 réfugiés syriens.

Des citoyens, craignant que des terroristes entrent ainsi au pays, s'opposent à cette action humanitaire. Ils prennent d'assaut les médias sociaux, alimentant cette peur et provoquant de vives réactions autant des gens qui sont contre cette arrivée que ceux qui sont pour.

Pour contrer cette vague de protestations, la comédienne Danielle Létourneau a alors l'idée de créer un mouvement de solidarité citoyenne. Le 18 novembre, elle lance la page Facebook *25 000 tuques* où elle demande aux gens de tricoter des tuques qui seront remises à chaque réfugié syrien en signe de bienvenue.

Comme des milliers de gens d'ici, et d'autres pays, j'ai tricoté.

Et c'est en tricotant mes trois tuques que j'ai imaginé ce roman qui traite d'immigration et d'intégration. Il met en scène trois jeunes vivant à Montréal : Vilmont, né au Québec de parents haïtiens ; Juan, un Colombien adopté par Simone ; et Moonif, qui arrive de Syrie avec sa famille. Chacun se questionne sur son identité en voulant trouver sa place ici.

Je souhaite que l'histoire *Où est ma maison ?* touchera des cœurs et engendrera de nombreuses discussions.

Pour ma part, chaque jour, j'essaie d'ouvrir grand les bras, d'être plus curieuse de l'autre et de créer des liens.

VILMONT

Chapitre 1

Non, non, non! Il neige!

Pas déjà! L'hiver aurait pu attendre un peu pour arriver. On est juste au début de décembre. Angelo et Cristelle ne sont pas de mon avis. Là, ils regardent tomber mollement les flocons par la fenêtre du salon en s'exclamant à toutes les deux minutes.

— J'ai hâte à demain! lance Cristelle.

Ma petite sœur, encore plus qu'Angelo, adore la neige. J'imagine que j'étais comme ça à sept ans. En pyjama, elle serre Rococo, sa peluche préférée, sur son cœur. Le lapin a déjà été blanc comme la neige de ce soir. Maintenant, malgré les lessives, il est jaunâtre, pelé. Et très laid. Pour Cristelle, c'est un trésor.

— Là, il commence à être tard. C'est presque l'heure d'aller te coucher, mon lapin, que je lui dis. Et c'est magique : plus vite tu dormiras, plus vite demain arrivera.

— J'aimerais regarder encore un peu. Tu veux bien, mon beau Vilmont en or ? Comme ça, je rêverai à la neige. Et ça me tente, ce rêve-là.

Comment résister à ses grands yeux suppliants ! Impossible pour moi comme pour tous ceux de la famille. Cristelle est une charmeuse.

Mes parents sont sortis, comme chaque vendredi. Je suis donc responsable de mon frère et de ma sœur tous les vendredis dès que je reviens de l'école. C'est comme ça depuis septembre. Mes parents comptent sur moi. Ils me font confiance, mais, moi, je commence à en avoir assez d'être prisonnier ici alors que mes amis s'amusent. Ils sont bien chanceux, eux, de se détendre après les cinq jours d'école ! J'en ai parlé à papa, mais il m'a dit que c'était normal de faire quelques sacrifices de temps en temps pour les aider. Là, je trouve que ce n'est pas de temps en temps, c'est chaque semaine. En fait, je n'ai pas le choix. C'est ce que je comprends. Comme ainé, j'ai la responsabilité de veiller sur les petits, d'après maman.

Bien sûr, j'aime mon frère et ma sœur. Je les gâte même un peu. Cristelle sait que je la laisserai veiller plus longtemps. Je ferai pareil pour Angelo. Quinze minutes de sursis pour leur faire plaisir. Leur bonheur est si facile.

Je les écoute discuter tous les deux. J'adore les entendre s'inventer des histoires, s'expliquer des choses, se promettre la lune.

— Je vais t'aider à faire un bonhomme, affirme Angelo à sa sœur. Toi, tu es trop petite pour rouler la grosse boule pour le corps.

Mon frère se croit très fort du haut de ses neuf ans, presque dix, proclame-t-il toujours dès qu'arrive décembre. Il est né le 25 décembre, ce petit ange cornu. Il bouge sans cesse. Les idées saugrenues se succèdent à un rythme fou dans sa tête. Mais il ferait tout pour Cristelle. Ils sont inséparables.

Je me sens bien loin d'eux. Bien différent. Parfois, j'aimerais retourner des années en arrière. Juste pour me réjouir des choses simples. Comme la neige. Je les envie. Beaucoup.

J'aimerais aussi encore croire toutes les histoires que mes parents racontent sur leur pays : Haïti. Eux, ils sont nés là-bas, nous, ici. À les entendre, il n'y a pas de plus beau pays au monde. Il y fait soleil, chaud, les fruits sont exquis. Maman parle avec amour de Jacmel et de la beauté de la mer, de la gentillesse des gens. « Oui, Carline, dit papa tendrement, on sait que Jacmel est un peu magique. » Lui aime décrire en détail l'animation de Port-au-Prince. On dirait qu'ils ont vécu dans un paradis toute leur enfance. Pourtant, parfois, l'un ou l'autre échappe quelques paroles révélant que le riz manquait, que l'eau rendait malade.

Ils sont arrivés à Montréal à dix-huit ans, pour étudier. Maman est devenue infirmière. Papa, comptable. Ils se sont rencontrés chez un ami commun, au cours d'une fête. Maman m'a dit qu'en voyant ce bel homme au regard intelligent, son cœur avait sauté un battement. Papa répète que c'est le sourire franc de maman qui l'a séduit. Ils forment un beau couple, c'est certain. J'ai hérité de la peau très noire de papa et de ses beaux yeux de velours, comme dit maman. Cristelle et Angelo tiennent davantage de maman. Ils sont tous les deux plus pâles que moi et plus trapus. Il parait que je tiens aussi beaucoup de mon grand-père maternel pour les cheveux plantés haut sur le front et le rire en cascade. Maman a toujours de la tendresse dans la voix quand elle me dit ça. Elle ajoute aussi que mon caractère un peu rebelle vient de lui. Elle me parle de gens que je ne connais pas. Pas plus que du pays où ils ont vécu.

Mes parents ne sont retournés en Haïti qu'une seule fois, un peu après leur mariage. Puis, nous sommes nés et ils se sont laissé avaler par la vie. Ils ont envoyé des photos de nous à leur famille. Au fond, je me demande s'ils avaient vraiment envie de revoir leur pays. Avec le temps, je crois qu'ils ont beaucoup embelli leurs souvenirs. Puis, mes grands-parents paternels sont venus s'installer à Montréal il y a cinq ans. Ils sont si gentils ! J'adore discuter avec eux, même si je crois qu'ils enjolivent aussi leur vie en Haïti.

Quand je vois les images d'Haïti aux informations, j'ai l'impression que le pays d'origine de mes parents restera toujours dans la misère. Les catastrophes se succèdent, ne donnant pas de répit à la population. Presque chaque année, des ouragans frappent le pays. Des récoltes sont perdues, des maisons détruites. Il y a eu aussi ce terrible tremblement de terre qui a tué des centaines de milliers d'Haïtiens. Port-au-Prince et les alentours en miettes. Des images de désolation qui ont fait le tour du monde. De partout, des dons ont afflué pour secourir ce pays. On dirait que tout est toujours à recommencer. Les Haïtiens continuent d'avoir faim, de reconstruire des maisons. Ils sont courageux, oui. Ils n'ont pas le choix de l'être. Ils survivent.

Cristelle et Angelo sont encore rivés devant la fenêtre à regarder les flocons tomber. Je n'aime plus la neige, mais je sais que la neige n'est rien comparée à la chaleur suffocante sans eau pour se désaltérer et un estomac qui crie famine.

Je crois que mes parents s'accrochent aux souvenirs heureux et même qu'ils inventent un peu, beaucoup. Ce qu'ils me racontent semble sorti d'un conte de fées. Je constate que leur version de la vie en Haïti n'a rien à voir avec les images de la télévision. Pourtant, je les ai crus longtemps, mes parents amoureux de leurs beaux souvenirs. Je ne suis plus un enfant. Je suis assez vieux pour connaitre la vraie histoire de mes parents. Pour voir Haïti de mes propres yeux. J'ai besoin de ça pour démêler le vrai du faux.

Ce soir, ils sont avec des compatriotes haïtiens et discutent sans doute de politique ou des moyens pour aider leur pays. Je crois que ces sujets de discussion sont inépuisables. Mais est-ce que ça change quelque chose pour Haïti ?

Et pour nous ?

Papa se fâche quand je fais ce genre de remarque. Il me dit que je suis égoïste, que je n'ai pas d'empathie. Il s'emporte rapidement. « Calme-toi, Arsène, l'enjoint maman chaque fois. Il ne peut pas savoir. Vilmont n'a pas senti le soleil d'Haïti sur sa peau. » Elle me demande d'éviter ces sujets-là qui font bouillir mon père. Que je suis trop jeune pour saisir tout ça. J'ai seize ans ! Pas sept ! Elle me rappelle que j'ai une vie facile comparée à celle du peuple haïtien. Je sais très bien que je suis privilégié !

Avec le temps, j'ai conclu que le seul moyen de comprendre comment se sentent mes parents, c'est d'aller en Haïti. Je leur ai parlé de mon désir d'y séjourner. « Trop dangereux en ce moment », a répondu maman. Je m'attendais à ça.

Moi, je veux absolument y aller. Quand ? Comment ?

Ces deux questions me hantent depuis un moment. J'ai hâte de trouver des réponses. Je sais que je dois voir Haïti, me frotter au quotidien des Haïtiens, les écouter discourir entre eux, sentir les parfums des fleurs, voir le ciel et la mer de là-bas. Pour enfin me sentir plus près de mes parents. Pour découvrir et apprendre à aimer ce pays que je porte en moi. Malgré moi.

Franchement, j'envie mon frère et ma sœur. Eux, ils n'ont pas l'esprit tourmenté comme moi. Je me demande si ça leur arrivera un jour de se poser les mêmes questions que moi. Là, ils sont heureux à imaginer le bonhomme de neige qu'ils feront demain devant la maison. Moi, je me demande où est ma véritable maison. Suis-je plus Haïtien que je ne le crois ? Si je mets un jour les pieds à Port-au-Prince, est-ce que j'aurai l'impression d'arriver chez moi ?

Mes pensées tourbillonnent comme la neige dehors.

— Allez, Cristelle, au dodo, mon lapin ! Angelo aussi.

Chapitre 2

Février est glacial. L'hiver est vraiment bien installé. Mon frère et ma sœur sont aux oiseaux. Au moins, il y en a deux d'heureux dans la maison.

Mes parents sont moins souriants que d'habitude. Papa manque de patience, maman a l'air préoccupé. Je ne suis pas aveugle. Ces changements cachent certainement quelque chose de grave. Je pose des questions qui restent sans réponse. Je n'arrive pas à deviner ce qui se trame. J'essaie d'alléger l'atmosphère. Mes blagues tombent à plat.

Je m'imagine des tas de choses. Papa va-t-il perdre son travail ? Maman est-elle malade ? Vont-ils se séparer ? Ça, ce serait vraiment étonnant, il me semble. Mais on ne sait jamais. Tout change vite parfois. En tout cas, j'ai hâte que ça se replace chez nous. En attendant, j'essaie de me concentrer sur mes études, ce qui me demande pas mal d'efforts avec tout ce qui se bouscule dans ma tête. On dirait que je ne retiens rien de mes cours, que ce que je lis passe au travers de mon cerveau. La note de mon dernier test de français n'était pas trop bonne. Une chance que j'ai pu cacher ça à mes parents, sinon j'aurais eu droit à tout un sermon sur l'importance de l'éducation, sur la chance que j'ai de m'instruire. Il faut que je me reprenne pour ne pas créer de conflit entre eux et moi. Je ne veux pas les avoir sur le dos, qu'ils surveillent continuellement mon emploi du temps. Déjà que maman m'a dit qu'elle trouvait que je passais moins de temps à étudier ! Et surtout, je ne veux pas qu'ils se doutent de mes intentions d'aller en Haïti. Je veux avoir les coudées franches pour m'organiser.

Je n'ai pas encore trouvé de solution pour ce voyage. J'aimerais que l'idée tombe du ciel. En fait, je ne sais pas trop comment prendre le problème de front. Ce serait simple de pouvoir en parler directement à mes parents, en leur exprimant tout ce qui me passe par la tête, mon envie de savoir, de voir. Je n'ose pas. L'atmosphère est déjà bien assez tendue ici sans que j'en rajoute.

Je devrais essayer de les convaincre, mais j'ai peur qu'ils ne m'écoutent pas ou qu'ils me prennent pour un ingrat. Et si je leur expliquais qu'à force d'entendre leurs histoires fabuleuses, ils m'avaient donné véritablement envie de connaitre mes origines ? J'ai tâté un peu le terrain, ce qui a déclenché une vague d'anecdotes de la part de maman. Elle m'a reparlé de la maison de Jacmel, de la couleur de la mer. Cette fois, elle a ajouté quelque chose qui m'a troublé. J'ai appris qu'un de ses oncles avait disparu un jour, comme ça, et qu'on n'avait jamais su ce qu'il était devenu. J'ai voulu en savoir plus. Impossible. Quand elle ne veut rien dire, maman est une tombe.

Son oncle est-il mort ?

Je commence à penser que mes parents cachent des éléments importants sur leur passé. Leur manière d'enjoliver tout n'est-elle pas une façon de maquiller la vérité ?

Suis-je en train de m'inventer une histoire complètement farfelue ? Il faut que je me calme un peu. Que je sois plus rusé pour amener mes parents à en dire davantage. Voilà que mon esprit s'emballe encore !

Je n'en démords pas. Plus j'y pense, plus je suis convaincu que mes parents dissimulent quelque chose de leur passé. Je dois me fier à mon instinct. L'instinct, ça ne trompe pas.

Je crois que j'ai l'âge de tout savoir sur ma famille. Que je suis prêt à tout accepter, que je peux tout comprendre.

Oui, je veux aller en Haïti. Il faut absolument que je marche sur les traces de mes parents. Je dois visiter les lieux où ils ont grandi. J'ai besoin de les imaginer en train de courir dans les rues, de déguster une mangue tombée de l'arbre. Je veux voir leurs maisons, où ils dormaient, où ils rêvassaient.

Je dois et je veux aller là-bas. Oui, j'ai besoin de savoir à quel point je suis Haïtien. Je dois me faire moi-même une opinion sur ce pays. Pas juste le connaitre par les yeux de mes parents.

Finalement, je crois qu'il n'y a qu'une manière d'arriver à mon but. Je vais tout organiser moi-même, sans compter sur personne. Après, je bombarderai mes parents pour les convaincre de me laisser partir. Ce ne sera pas facile. Je suis prêt à me battre pour ça. Il faut que je réussisse. Voir Haïti. Cette pensée m'obsède depuis des mois. Je deviens taciturne. Je manque de patience avec Cristelle et Angelo. Je leur dis des choses pas trop gentilles. Hier, j'ai même crié après eux. Ils ont pleuré. J'ai honte. Je vois bien que je ne suis pas le grand frère que je devrais être. Je dois me contrôler. Finie ma mauvaise humeur avec eux. Ils ne méritent pas ça.

Si je veux atteindre mon objectif, je dois manœuvrer sans que ça paraisse. Sans que mes parents devinent que je prépare un départ. Quand ils vont s'apercevoir que je suis redevenu le fils travaillant et rieur que j'étais, ils vont baisser leur garde et se dire que cette idée d'aller en Haïti était une passade. J'aurai le champ libre, tout à fait. Ils ne me poseront plus de question.

C'est décidé ! Je vais préparer sérieusement mon voyage en Haïti.

Par quoi commencer ?

Il me faut de l'argent. Donc, un travail. N'importe quoi.

— Vilmont, toi si fort, avec de si beaux muscles, voudrais-tu aider ton père à changer le sofa de place, s'il te plait ? demande maman en soufflant sur ses ongles. Je viens juste de mettre mon vernis.

— Bien sûr ! Pas besoin de me flatter, toi, ma belle et merveilleuse mère. Je vais donner un coup de main avec plaisir.

Je me lève de ma chaise.

— Tu as encore grandi ! s'étonne maman.

— Ça doit être ton super poulet créole, maman ! Tellement bon !

— Tu veux devenir un géant ? demande-t-elle avec un air coquin.

— Pourquoi pas ? J'imagine que je trouverais du travail dans un cirque.

— Je te prédis un meilleur avenir que ça. En attendant, deviens déménageur pour cinq minutes, mon bon gros géant de fils.

Un jeu d'enfant que de déplacer ce meuble.

— Merci, mon fils. Tu vois, Carline, on peut compter sur notre Vilmont et pas uniquement le vendredi soir.

— C'est un garçon merveilleux, ajoute maman.

— Arrêtez ! Je sens ma tête qui enfle déjà.

Je me gonfle les joues. Ils éclatent de rire. Papa me tape sur l'épaule.

— Tu pourrais peut-être aider Kamel. Tu sais de qui je parle ?

— Oui, oui.

— Je crois qu'il déménage des meubles de temps en temps. Il m'a dit que ces temps-ci, il allait porter des tables, des fauteuils ou des lits aux réfugiés syriens qui s'installent dans des logements près d'ici.

— Tu crois qu'il m'engagerait ?

— On ne sait jamais. Tu peux tenter ta chance. Je sais qu'il cherche quelqu'un.

— Ce serait vraiment chouette si mes muscles servaient à quelque chose d'utile.

Je souris. Et je me mets à espérer que ça fonctionnera, que Kamel m'embauchera.

Je veux ce travail.

Je vois un signe dans ce que je viens d'apprendre. Un signe qui m'indique que j'ai pris la bonne décision et que les choses s'enligneront comme un chemin menant à ce voyage.

Mon sourire s'agrandit. Je fais un pas de danse. Mes parents me regardent avec des yeux en points d'interrogation.

S'ils savaient!

Chapitre 3

Mars et avril ont été occupés avec tous les meubles à déménager avec Kamel. C'est un peu plus calme en mai. J'aime bien ce travail. Nous sommes allés quelques fois chez une famille de réfugiés syriens. Il y a un gars de mon âge. Il a l'air triste, abattu, replié sur lui-même. J'aimerais bien lui parler, mais il ne maitrise pas suffisamment le français et encore moins l'anglais. Dur de communiquer dans ces conditions. Kamel peut traduire, bien sûr, mais ce n'est pas pareil comme parler de personne à personne. Franchement, ce serait formidable s'il y avait une langue universelle ou si nous pouvions lire dans les pensées des autres. Oui, ce serait extra de se comprendre sans parole. Je sais qu'il s'appelle Moonif. Je voudrais bien l'aider à trouver sa place ici.

J'imagine que, comme mes parents quand ils sont arrivés, il doit se sentir perdu. Eux avaient tout de même un avantage à leur arrivée : ils parlaient français en plus du créole. Plus facile de s'intégrer, de comprendre les rouages d'une société quand on a la même langue. On peut demander à n'importe qui de nous renseigner. Là, pour Moonif et sa famille, il faut passer par une autre étape : trouver quelqu'un qui parle arabe. Kamel semble les avoir tous pris sous son aile.

Mon patron est super généreux. Avec les gens qu'il aide et aussi avec moi. Il me paie bien. Et il adore me taquiner. Surtout depuis que je suis en amour. Parce que moi, Vilmont, géant d'origine haïtienne, j'ai rencontré Luisa, la plus jolie fée née en Colombie et vivant à trois rues d'ici depuis qu'elle et son frère ont été adoptés par Simone il y a six ans. Dire que Luisa est à la même école que moi et que je ne l'avais jamais remarquée avant d'entrer en collision avec elle en sortant du gymnase! Je me demande aussi pourquoi je n'ai pas fait immédiatement le lien avec Juan qui a des cours de maths avec moi.

Mystère ! Ils se ressemblent pourtant ! En tout cas, j'ai été surpris quand je suis allé chez elle et que j'ai aperçu mon camarade de classe. « C'est ton frère ! » me suis-je exclamé. « Oui et il est super », a-t-elle répondu en le chatouillant. À les regarder, j'ai compris qu'ils avaient la même complicité que Cristelle et Angelo. Les chanceux !

Avec Luisa, je peux parler de tout. Elle est mon alliée. Elle m'encourage dans mon projet pour aller en Haïti. Elle me comprend. Elle aimerait retourner en Colombie, pour revoir son village, pour savoir ce que sont devenus les autres enfants de l'orphelinat. Elle m'assure qu'elle est heureuse ici, mais que son pays lui manque presqu'autant que lorsqu'elle est arrivée à Montréal.

— Un jour, il va falloir que je parte là-bas. Juan et moi, on s'est juré de retourner sur les traces de notre enfance. Tu sais, la Colombie, ce sera toujours mon pays, m'a-t-elle révélé quand je lui ai parlé de mon désir de découvrir le pays de mes parents. Je sais que je serai toujours plus Colombienne que Canadienne, a-t-elle ajouté.

Cette réflexion de Luisa me fait mieux comprendre mes parents, je crois. Ça fait plus de vingt ans qu'ils vivent à Montréal. Avec le temps, j'imagine que c'est normal que les souvenirs s'enjolivent un peu. Idéalisent-ils Haïti ? Non, probablement pas. Ils voient ce qui se passe là-bas, ils en discutent avec d'autres Haïtiens. C'est sans doute rassurant de s'accrocher à de belles images, de cultiver les souvenirs heureux, de les arranger un peu. Peut-être ont-ils peur que voir Haïti aujourd'hui effacerait tout de leur passé à Port-au-Prince et à Jacmel ? Est-ce pour ça qu'ils ont toujours vu d'un mauvais œil mon idée d'aller là-bas ? Ils craignent peut-être que ce que je raconterai à mon retour les forcera à admettre devant nous que leur pays d'origine n'est pas le paradis qu'ils nous décrivent. Au fil des années, ils ont éliminé tout le négatif de leur enfance. Voilà.

Moi, je veux voir Haïti aujourd'hui. Je veux être un Haïtien parmi les Haïtiens, me mêler à la foule de Port-au-Prince, marcher dans les rues, sentir toutes les odeurs, crever de chaleur. Je veux emmagasiner mes propres images de ce pays dont j'ai tant entendu parler. Point.

Je veux découvrir si Haïti me parle, si ce territoire coule dans mes veines, si je m'y sentirai à ma place.

Luisa comprend tout ça. Elle m'encourage à aller au bout de ce projet. Depuis que sa mère a annoncé qu'elle voulait adopter une petite Haïtienne, ma copine se documente autant que moi. Nous cherchons ensemble sur le Web et échangeons sur nos trouvailles. « Si tu vas là-bas, tu pourras m'en apprendre beaucoup, a-t-elle souligné. Je compte sur toi. »

Ce n'est pas facile d'organiser mon voyage. Grâce à mon emploi, j'ai maintenant de l'argent à la banque. Pas encore beaucoup, mais c'est mieux que rien. Kamel a moins de travail pour moi en ce moment. Il m'a donné le nom de son ami qui a un dépanneur en me promettant de lui parler de moi. Je dois aller le rencontrer tout à l'heure. Je me croise les doigts. Si ça fonctionne, je pourrai peut-être atteindre mon objectif et partir en aout pour Port-au-Prince. Et ce sera beaucoup grâce à Kamel. Je crois que cet homme est un ange bienveillant pour moi et pour plusieurs autres personnes. Il a l'art de rassurer et d'encourager les gens.

Billet d'avion, logement et un peu d'argent de poche, c'est ça qu'il me faut. Et mon passeport ! Ça, c'est un gros problème ! Comment l'obtenir sans que mes parents le sachent ? J'ai vérifié sur le Web. Au moins, à seize ans, je suis considéré comme un adulte. Je n'ai pas besoin de leur signature pour l'avoir. Pour faire la demande, ça va. Mais j'ai vu que mon passeport serait posté à mon adresse. Oups !

J'ai demandé à mon copain Michael de s'informer si quelqu'un de sa famille à Port-au-Prince pouvait m'héberger. Je lui ai fait promettre d'être discret. Je n'ai pas du tout envie que ça vienne aux oreilles de mes parents quand ceux-ci vont à leur réunion du vendredi soir et qu'ils rencontrent les parents de Michael. Pas question qu'ils me mettent des bâtons dans les roues. Je veux garder le secret jusqu'à ce que tout soit fin prêt et mettre papa et maman devant le fait accompli. Comme ça, ils n'auront pas d'autre choix que de me laisser partir. En attendant, comme un bon grand frère, je continue de m'occuper de Cristelle et d'Angelo le vendredi soir. Ce n'est pas le temps de me rebeller et de perdre mes chances d'atteindre mon but.

L'atmosphère ici ne s'améliore pas beaucoup. Maman et papa se boudent, on dirait. Eux, d'habitude si bavards et taquins entre eux, se regardent à peine certains soirs. Cristelle et Angelo sentent la tension, j'en suis certain. Ils sont plus turbulents et se chicanent souvent. Ce n'est pas très agréable chez nous en ce moment. Alors, dès que je peux, je vais chez Luisa. Il me semble que tout y est joyeux.

J'aime observer Juan et Luisa quand ils sont ensemble. Et quand Samuel, Thomas et Nadège s'ajoutent, la maison résonne de rires ininterrompus. Dans ce temps-là, les deux chats déguerpissent au deuxième étage. Simone se joint à nous tous et ce n'est pas la plus sage de la troupe.

Juan, c'est le roi de la cuisine. Il aime bien donner des ordres à tout le monde et particulièrement à moi qui ne sais toujours pas la différence entre une poêle et un chaudron. Au début, je sentais de la hargne, là, je ne sais pas trop quoi penser. Il s'est adouci, mais ce n'est pas encore évident entre nous. Je me suis demandé s'il faisait ça pour protéger sa sœur. Ou parce qu'il a l'impression qu'il la perd un peu. Ils sont si proches l'un de l'autre. Ça crève les yeux ! Peut-être a-t-il peur que je brise le cœur de Luisa un jour ? Je ne sais pas trop. En tout cas, c'est parfois difficile pour moi. J'espère que notre relation s'améliorera. Je souhaiterais qu'il me considère comme un ami. Au moins, il a été content quand je lui ai apporté le livre de recettes traditionnelles haïtiennes de maman. Depuis, il en a cuisiné quelques-unes. « Hum, facile et délicieux », a-t-il approuvé après avoir testé une recette de porc. Depuis, la famille déguste des mets haïtiens. Quand je mange avec eux, je ne suis pas dépaysé. J'ai aussi gouté à la cuisine colombienne, qui est savoureuse comme celle des Caraïbes. Vraiment, Juan est dans son élément quand il assemble viandes, légumes et épices. Quand j'arrive chez Luisa, et que les odeurs de cuisson flottent, malgré moi, mon estomac se met à gargouiller et je salive. « Hum, ça sent bon ! » que je dis invariablement à ma copine en lui donnant une bise. « Tu parles de moi, bien sûr », me dit-elle, moqueuse. Quand Juan est en pleine action, nous allons le rejoindre et je deviens son marmiton, un marmiton bien maladroit. Je crois tout de même que je me suis amélioré un peu. En tout cas, je commence à aimer ces cours de cuisine improvisés. Quand je suis là à battre des œufs ou à faire la vaisselle, je sens que, petit à petit, Juan me fait une place dans son univers. Il en a déjà une dans le mien.

Ouf, ce n'est pas en rêvassant comme ça que je vais m'envoler pour Haïti !

Chapitre 4

Les premières semaines de juin ont passé aussi rapidement que des étoiles filantes. Vite ! Si vite ! En plus d'étudier, j'ai travaillé avec Kamel et aussi au dépanneur de son ami. Mon compte de banque a grimpé. Je suis sorti avec Luisa et j'ai aussi essayé de préparer mon voyage. Rien n'allait.

Pas facile de trouver un endroit où loger en Haïti ! Michael n'a pas pu m'aider finalement. Je devrai payer un hôtel. Et c'est cher, très cher. Est-ce que tous mes efforts vont enfin porter fruits ? J'étais obsédé par mon désir d'aller en Haïti. Malgré mes recherches, je me rendais bien compte que ça n'avançait pas du tout. Je commençais à désespérer…

Puis, miracle! Hier, quand je suis revenu de mon dernier examen, mes parents m'ont annoncé que j'irais à Port-au-Prince avec papa. Je suis si heureux !

— Il a fallu que je convainque ta mère, m'a expliqué papa. Et ça, je peux te l'affirmer, ça a été toute une histoire ! Des mois à argumenter. Elle ne voulait rien entendre ! Son cœur de mère craint qu'il t'arrive un malheur là-bas. Elle m'a fait promettre d'être prudent, de bien te surveiller. J'ai promis et juré au moins cent fois.

Papa regarde maman en lui souriant avec tendresse.

— Vous serez mes yeux tous les deux, a repris celle-ci. Toi, tu auras un regard neuf sur ce pays que j'aime. Ton père retrouvera une ville qu'il n'a pas vue depuis deux décennies, une ville qui a bien souffert. J'ai hâte de vous entendre raconter votre voyage, murmure maman. J'espère que vous prendrez beaucoup de photos.

Lentement, très lentement, les mots de mes parents ont fait leur chemin dans mon esprit.

— Quoi ? J'y vais ! Pour vrai ? me suis-je exclamé en sautant en l'air.

Ils se sont mis à rire.

— Oui, oui, mon gars. On attendait que tu aies fini l'école pour que tu continues de te concentrer sur tes cours avant de t'apprendre la nouvelle. Tu te questionnes sur notre pays depuis un bon moment. Tu pourras enfin te remplir les yeux et le cœur de ce pays. Nous partons le 15 aout.

— Le 15 aout ! C'est exactement à cette date que je prévoyais décoller. J'ai déjà cherché un billet d'avion, vous savez. Ma demande de passeport est presque prête aussi.

— Nous nous doutions bien que ton calme apparent cachait quelque chose. Tu étais trop silencieux sur le sujet depuis quelques mois. Toi qui insistais pour aller là-bas, du jour au lendemain tu as cessé de parler d'Haïti. Ça a mis la puce à l'oreille de ton père. On a déduit que tu te préparais en douce pour un voyage en solitaire. Et ça, pour moi, ta mère poule, il n'en était pas question. Comme je vois, on a eu raison de manigancer de notre côté. Je serai inquiète pour vous deux, mais moins que si tu étais parti seul. J'aime Haïti, mais je sais que la vie y est difficile. J'ai une vision réaliste de ce pays. Ton père et moi, on préfère cultiver nos belles images parce que celles qu'on voit de notre pays nous attristent trop. Tu verras des choses là-bas qui te chambouleront. Tu te sentiras impuissant. Comme nous.

— Vilmont, je suis content qu'on aille ensemble dans mon pays, a continué papa en me serrant l'épaule. Ce sera une aventure inoubliable, mon fils.

Il m'a tiré doucement vers lui, m'a serré dans ses bras. J'ai senti tout son amour. Maman est venue se coller à nous deux. Nous sommes restés ainsi quelques instants. Quand nous nous sommes séparés, mon cœur était léger, heureux, rempli de gratitude. Je vivrais mon rêve. Avec mon père, je verrais Haïti et je saurais enfin quelle part de ce pays m'habite. Je saurai peut-être ce que m'apportent mes origines haïtiennes. En foulant le sol d'Haïti, j'ai l'impression que tout deviendra concret, limpide, que je comprendrai davantage mes parents et leur nostalgie de leur passé. Que je découvrirai qui je suis vraiment.

— Merci ! Oui, merci ! dis-je encore ému. Vous êtes des parents formidables.

— Et toi, un fils merveilleux, a répondu maman en essuyant une larme.

— Si tout se déroule bien là-bas, nous y retournerons tous les cinq l'été prochain, a déclaré papa. Je veux d'abord m'assurer que nous pourrons circuler sans problème. Nous serons donc des éclaireurs. Ça te va ?

— Évidemment !

Dès l'après-midi, nous sommes allés nous faire photographier pour nos passeports, puis à un bureau où nous avons laissé tous nos documents.

Depuis ce temps, je flotte, je rêve. J'essaie aussi de m'occuper un peu plus de Cristelle et d'Angelo. Ils vont me manquer quand je serai en voyage.

Et Luisa aussi. Haïti est notre sujet de conversation favori. La petite Odélie arrivera juste avant mon départ. Simone ira régler les derniers papiers d'adoption à Port-au-Prince et ramènera la fillette à Montréal.

Juillet sera interminable pour bien des gens que j'aime.

Pour moi aussi !

Chapitre 5

Bientôt, le départ. L'avion est en place. Nous attendons l'embarquement. Papa est au téléphone avec maman. Dernières recommandations, sans doute. Je me demande si maman et les petits sont encore à l'aéroport.

J'observe les gens autour de moi. J'écoute. J'entends des rires, du français et du créole. Une dame porte au moins cinq chapeaux. Des cadeaux pour sa famille surement. Un homme et une femme, habillés comme pour une grande sortie, sermonnent leur petite fille parce qu'elle court partout. Ils parlent fort, la fillette a les larmes aux yeux. Son père la prend sur ses genoux et commence à la chatouiller. Elle se met à rire et se colle contre lui. La crise est passée.

Je me demande comment va Odélie aujourd'hui. Elle avait l'air si désemparée quand elle est arrivée. Ça crève le cœur de Luisa de la voir aussi perdue. De toute sa famille aussi. Ça doit être difficile de changer de pays si jeune. Ma copine en sait quelque chose. Luisa revit son arrivée à Montréal pendant que, moi, je pars pour découvrir un pays. Je ne serai pas là pour réconforter ma copine. « Je survivrai, m'a-t-elle dit. Mais tu vas me manquer. »

Voilà. On commence l'embarquement. Mon cœur s'emballe. Je suis fébrile. Tout est nouveau pour moi. Je volerai pour la première fois.

Il règne un joyeux désordre autour de moi. On dirait qu'une fête se prépare. Des gens sont déjà debout, certains les bras remplis de paquets, d'autres gesticulant sans cesse. Et ça parle fort. Des rires fusent. Papa discute maintenant avec son voisin. Il est aussi grand que moi, mais bâti comme une armoire, le visage sévère. L'homme explique qu'il va au chevet de sa mère malade. Papa essaie de le réconforter. L'homme le remercie. La discussion se termine par une poignée de main chaleureuse. Il se place dans la file de ceux qui ont des billets en première classe, nous fait un signe de tête.

Nous attendons notre tour en silence, avançons, montrons nos passeports et nos cartes d'embarquement à l'agent, prenons la rampe d'accès vers l'appareil, montons dans l'avion, attendons patiemment que les passagers devant nous déposent leurs bagages dans les coffres et s'installent. Nous arrivons à nos places.

—Je te laisse le hublot, m'offre papa. Passe devant moi.

—Oh, merci !

Je me faufile. Je m'assois.

Je sens mon cœur cogner. Très fort. Mon rêve devient réalité. Là, c'est vrai : dans quelques heures, je foulerai le pays de mes parents. Je suis perdu dans mes pensées. Je sursaute quand papa ouvre la bouche.

—J'ai hâte de revoir Haïti, mais je crains aussi d'être déçu, murmure papa, figé comme une statue, les mains sur ses genoux. Pour toi, tout sera neuf. Je suis certain que tu seras touché par le peuple et la beauté d'Haïti. Moi, je voudrai retrouver ce que j'ai quitté il y a vingt-deux ans. Impossible, je crois.

—Peut-être que non. On verra bien, dis-je en souhaitant l'encourager.

Nous nous regardons. Puis un immense sourire apparait sur son visage.

—Tu sais, j'ai vraiment très hâte de revoir Haïti, malgré mes doutes. Je redécouvrirai ce pays par tes yeux. Et ça, ça n'a pas de prix.

L'avion recule, va rejoindre la piste et c'est le décollage. L'atmosphère est électrique, les gens rient beaucoup. Moi, je suis perdu dans mes pensées. Nous sommes très haut, mais j'aperçois tout de même le sol quand je me penche plus près du hublot. Quelques cumulus ombrent la forêt et les champs. Je vois le monde autrement. Je suis un oiseau en migration.

Papa reste silencieux, comme moi.

Nous volons au-dessus de l'eau. Elle scintille. Puis, je vois la côte. Un coup au cœur. Là, c'est vrai, j'arrive. Des mois que je souhaite ce moment, des mois que je m'imagine ici. Je me tourne vers papa qui me sourit.

—Ce sera formidable, tu verras, m'assure-t-il avec une voix émue.

Le commandant nous apprend que nous entreprenons la descente et qu'il fait 38 degrés à Port-au-Prince. Les oreilles me font mal. Un bébé pleure.

L'atterrissage est rude. Les roues cognent la piste. L'avion dérape un peu puis se redresse et roule vers l'aérogare. Nous arrêtons en pleine piste. Tout le monde se lève. Il fait chaud. La porte ouvre et nous sortons à la queue leu leu.

Le soleil de plomb m'écrase. L'odeur de caoutchouc me surprend. Nous marchons sur le tarmac brulant, entrons dans l'édifice frais, passons la douane et allons vers le carrousel des bagages. Je vois des valises assez grosses pour contenir un cadavre. Papa devine ce qui me passe par la tête.

—Les gens apportent des denrées et des objets utilitaires pour leurs familles. Du ravitaillement, quoi. Ça ne m'étonnerait pas qu'au retour, ces grosses valises soient remplies de mangues. Elles sont bonnes, les mangues, ici.

Les gens se bousculent pour attraper leurs bagages. Je suis coincé entre deux dames bien en chair qui interpellent une autre voyageuse. Celle-ci vient les rejoindre et me pousse sans ménagement. Elles se sautent dans les bras en riant fort. Je suis entouré de bruits, de rires, de cris. Ça bouge sans arrêt. C'est un arc-en-ciel de couleurs vives partout.

—Voilà nos valises, annonce papa.

Elles ont l'air de valises de poupée au travers des autres. Nous réussissons à nous faufiler dans la foule. Dehors, nous sommes assaillis par deux hommes qui nous invitent à choisir leur taxi. Ils parlent vite, se coupent la parole. Je n'ai pas l'habitude d'entendre du créole parlé si rapidement, mais c'est clair qu'ils se disputent entre eux.

Tout à coup, le géant de l'aéroport est à côté de nous. Il salue papa avec une poignée de main.

—Venez, mon frère vient me chercher avec son camion. Il y aura de la place pour vous. Nous allons dans Pacot, mais on peut vous déposer où vous voulez.

—Merci ! C'est parfait, nous allons à l'Oloffson.

—Mon frère habite tout près de cet hôtel. Venez. Je m'appelle Kervins.

—Arsène, et mon fils, Vilmont.

Nous laissons en plan les deux chauffeurs de taxi. Ils ne perdent pas un instant pour aller rejoindre d'autres voyageurs. Ils recommencent leur boniment. J'ai le temps de voir que, cette fois, ils ont eu plus de chance.

Nous nous casons dans le véhicule. Nous partons en trombe. Par la fenêtre ouverte, l'air torride s'engouffre. Le chauffeur roule comme si c'était une course contre la montre, évitant le plus possible les nids-de-poule. Sur les côtés de la route, la végétation est poussiéreuse. Je remarque les palmiers, mais je suis incapable de nommer les autres arbres. Rien ne ressemble à ce que je connais. Troublant. Excitant aussi. En arrivant à un carrefour, le chauffeur klaxonne et passe à une vitesse folle. J'ai le temps de voir un camion noir arrivant rapidement de la rue transversale. Nous sommes sauvés !

Nous entrons dans Port-au-Prince. La circulation est dense. Nous avançons à la vitesse d'un escargot. Partout, des gens qui marchent, des bords de rues parsemés d'étals de fruits et de babioles. Je n'ai pas assez de mes deux yeux pour tout voir.

—*Dlo ?*

Je sursaute en voyant un enfant tendant un sac d'eau par la fenêtre de l'auto. Avec lui, une fillette nous offre des bonbons. Je fais signe que non. Ils insistent. Ils nous suivent pendant que nous roulons pouce par pouce. Puis, ils se dirigent vers l'auto derrière nous.

Je vois une femme portant un panier rempli de pintades sur sa tête et serrant un bébé sur son cœur, un vieillard transportant d'innombrables chaises sur son dos et ployant sous le poids, des hommes frappant la carrosserie rouillée d'une auto et des enfants s'amusant avec un ballon crevé. J'entends des cris, des rires et surtout des klaxons. Et un tambour.

Tout bouge. Et moi, j'observe, ébahi, toute cette vie qui a les allures d'une fête. Je vois des sourires, des femmes qui ont l'air de danser en marchant, un homme qui chante en poussant une brouette remplie de pierres. Je vois aussi des confettis de soleil sous les arbres.

Je remarque des bâtiments en ruines. Plus loin, de grands arbres masquant une grande maison blanche.

—Nous y sommes, m'informe papa. Merci mille fois, continue-t-il pour les deux hommes assis devant.

—De rien. Ça fait plaisir de rendre service à un frère, répond le chauffeur.

—Vous êtes ici pour longtemps? demande Kervins. On pourrait manger tous ensemble un soir.

—Ce serait bien! acquiesce papa.

Nous prenons rendez-vous et l'auto repart.

Nous nous retournons et nous dirigeons vers l'hôtel, un magnifique bâtiment blanc décoré de frises ressemblant à de la dentelle.

Nous montons les marches, arrivons sur la galerie où des clients sont attablés devant des assiettes bien garnies. Mon estomac gargouille.

— Tu dois avoir faim autant que moi, remarque papa. On s'installe dans notre chambre, puis on mange ici. Ça te va ?

— C'est beau !

— J'adore cet endroit. J'y ai vécu des moments mémorables.

Nous entrons.

Il fait frais dans le hall. Les formalités sont vite réglées. Nous montons à l'étage. Papa ouvre la porte de la chambre et me laisse passer. Je vois tout de suite une autre porte donnant sur un balcon. J'abandonne ma valise, curieux de découvrir la vue. Papa me suit. Une des planches du balcon est pourrie. Il y a un trou de la grandeur d'un soulier. Je devrai m'en souvenir si je veux venir contempler les étoiles au milieu de la nuit.

— Devant toi, c'est la rue Capois. Nous l'avons empruntée tout à l'heure. Elle passe près du Palais national.

— J'ai hâte de marcher dans la ville.

— D'abord, repas, petite sieste et on y va.

* * *

Nous marchons. La chaleur est encore suffocante. J'ai les yeux grands. Il faut les avoir pour ne pas trébucher sur les obstacles ou tomber dans un trou profond. Pas de grilles sur les bouches d'égout.

Au bord de la rue, il y a de petits commerces de bonbons et de jus tenus par des femmes. Plus loin, des hommes, assis à même le sol, à l'ombre des palmiers, discutent avec de grands gestes. Papa me montre un manguier et un flamboyant.

—Je pourrais manger des mangues autant que je veux! Miam!

—C'est certain qu'il y a des avantages à rester dans les Caraïbes. Et si tu voyais le flamboyant en pleine floraison! Tellement magnifique! Aussi beau que les bougainvilliers, continue-t-il en pointant un mur de pierre surmonté de fleurs d'un rose intense.

—Qui a-t-il derrière ce mur? Ça m'intrigue.

—Sans doute une belle maison appartenant à des dirigeants d'entreprise. Il y a des riches en Haïti. Et beaucoup, beaucoup de pauvres qui se demandent s'ils mangeront dans la journée. Tu verras de tout.

* * *

Oui, je vois de tout.

Des monticules de détritus fouillés par des cochons, des poules qui se promènent dans les rues, des enfants qui transportent des bidons d'eau sur la tête, des hommes qui cassent la pierre par une chaleur torride, des femmes qui chantent en vendant des fruits, des tableaux et des masques accrochés dans des arbres, des taps-taps aux couleurs explosives avec des phrases religieuses pour protéger les passagers, des trous dans les rues, des gens entassés dans des bidonvilles, des cabris qui deviendront un repas de fête, des anolis, ces petits lézards verts, se faisant chauffer au soleil, des paysans maigres cueillant des légumes, une plage de sable blanc, des taxis sans porte, la mer turquoise, les mornes de Kenscoff, des maisons aux toits de tôle, des vêtements colorés séchant au soleil, une mangrove, des bébés aux cheveux vaporeux comme un nuage, des sourires francs, des visages ridés, des yeux affamés.

Je vois des rangées de maisons séparées par des canaux remplis d'eau croupie où des enfants jouent.

Je vois des dames en robes longues tenant le bras d'hommes en complets entrant dans des résidences luxueuses.

Je vois la différence entre Carrefour et Pétion-Ville. Je suis bouleversé, choqué par ce contraste entre la misère et la richesse.

Chaque soir, après nos promenades dans Port-au-Prince ou nos excursions aux alentours, papa et moi revenons la tête et le cœur chamboulés.

—Je me demande comment ils font pour vivre comme ça.

—Quand tu n'as pas le choix, tu fais ce que tu peux avec ce que tu as, répond papa.

—Ils n'ont rien!

—Je sais. Ceux qui le pourront partiront pour aller étudier ailleurs. Comme ta mère et moi. Les autres devront se débrouiller toute leur vie. Et ça, c'est la majorité des Haïtiens.

Nos conversations tournent autour de la vie difficile dans ce pays ensoleillé. Papa raconte des souvenirs, des détails qui ont ressurgi en voyant des lieux ou des visages ressemblant à des connaissances de sa jeunesse. Parfois, ce sont des souvenirs qui le font éclater de rire. Comme la fois où il avait mis du sel dans le jus de citron vert de sa mère. Il pleure parfois aussi. J'apprends que sa sœur a été violée à douze ans, qu'elle s'est pendue deux jours plus tard. Je reste sans voix.

Pour moi, les découvertes se succèdent. Confiture de chadèque, jus de corossol, petits animaux de bois peints, frangipanier odorant, longue trompette, je goute et je vois des choses qui me charment.

Partout, nous nous mêlons à la foule. Avec ma peau noire, je passe pour un des leurs. On ne nous remarque pas. Je suis vraiment content de parler créole.

Les jours filent vite, si vite, trop vite. Je suis bombardé d'images. Troublantes, oui, mais aussi de magnifiques images de la nature, de sourire d'enfants craquants. Petit à petit, Haïti tatoue mon cœur.

Puis, la veille du retour, nous soupons avec Kervins à l'Oloffson. Son frère est là aussi. J'écoute les adultes parler de leur enfance, de leur vie loin de leur pays. J'entends leur amour pour Haïti, leur désir que tout s'arrange, leur vision réaliste de la situation. Autour de nous, comme nous, les convives discutent devant des assiettes pleines de poulet, de crevettes ou de steak. Je mange, mais je ne peux m'empêcher de penser à tous ceux qui se coucheront le ventre vide.

Demain soir, je serai à Montréal. Comment arriverai-je à raconter tout ça à Luisa ? Ce que j'ai vu, ressenti. Mon amour pour Haïti. Ma révolte. Ma sensation d'impuissance. Tout a été si intense. Je manquerai de mots. Elle devra comprendre mes silences.

Alors que le café arrive sur la table, une musique entrainante se fait entendre.

— Quelle chance, Vilmont ! dit papa en me regardant, des étoiles dans les yeux. Le groupe Ram joue pour nous !

Et le voilà, comme les deux autres adultes, battant le rythme avec sa cuillère sur sa soucoupe, le sourire épanoui.

Je prends ma cuillère et me joins à son bonheur, mon cœur battant comme un tambour.

—Merci, papa, pour tout ça!

JUAN

Chapitre 1

Je ne comprends pas Luisa. On dirait que ma sœur a quatre ans alors qu'elle en a presque quinze! Elle pourrait se calmer un peu. Chaque année, c'est comme si c'était la première fois qu'elle voyait de la neige. Ça fait six ans qu'on vit à Montréal! Six ans qu'il y a l'hiver, le froid, la neige, la glace. Elle adore cette saison! Moi, je préfère la chaleur de la Colombie et de l'été à Montréal. Je déteste devoir m'habiller en momie pour me protéger des intempéries. Par contre, j'avoue que j'aime patiner autant que ma sœur.

Luisa danse, tournoie et fait de grands gestes gracieux.

—C'est beau ! C'est beau ! C'est beau ! crie-t-elle sans s'occuper des quelques passants. Allez, Juan, bouge-toi !

—Arrête un peu ! C'est juste de la neige ! Viens, on rentre. On doit préparer le repas.

—Oui, oui, ce ne sera pas long ! Décidément, tu es trop sérieux. On est les premiers arrivés. On a du temps devant nous.

—Je gèle, c'est tout.

—Je ne t'empêche pas d'entrer. Vas-y, réplique-t-elle en virevoltant de plus belle dans la rue.

Je la laisse avec son bonheur givré. Je fouille dans ma poche, sort la clé de la maison et monte l'escalier enneigé vers la porte. Noche et Blanca m'accueillent en ronronnant. Ils ont faim. Ils me suivent à la cuisine. Je les nourris. Ils ne font plus cas de moi. Ils sont ingrats, mais je les aime.

Je sors les légumes. Un mot sur le réfrigérateur. Samuel ne vient pas souper. Je sais que Thomas arrivera bientôt avec sa copine Nadège. Elle mangera avec nous. Dans une heure, maman Simone sera là avec Colombe, son amie de toujours, comme elle nous a dit. J'aurai déjà mis en route la cuisson de la viande et des légumes. J'adore cuisiner et encore plus quand nous sommes nombreux. Ça me rappelle quand je vivais dans mon pays natal, avant que ma sœur Luisa et moi soyons adoptés par Simone. Parfois, des images de repas rassemblant presque tout le village me reviennent. Des images de joie, où les rires fusent. Des images floues où papa et maman dansent ensemble sous les étoiles. Il y a si longtemps de ça.

L'appartement est souvent plein de gens. Maman adore quand ça bourdonne et bouge autour d'elle. Elle dit que nous sommes une joyeuse tribu, une tribu tissée serrée. Nos amis sont toujours les bienvenus et ils viennent avec plaisir. Simone les accueille comme s'ils faisaient partie de la famille. C'est toujours une fête.

Maman est une boule d'énergie. Son plus grand talent, c'est de savoir montrer son amour par de petits gestes quotidiens à tous ses enfants, biologiques ou adoptés. Simone n'a plus de compagnon. Le père de Samuel et Thomas vit depuis longtemps à Vancouver avec Ingrid. Ils enseignent tous les deux le français là-bas. Mes frères ne voient donc pas souvent leur père. Le mien, je ne m'en souviens presque plus. De maman, un peu plus. Surtout de ses yeux aussi noirs que la nuit et de ses mains douces qui caressaient mon front pour m'endormir. Mes parents sont morts dans un accident d'auto. J'avais sept ans. Luisa et moi avons vécu un an chez Maria, la sœur de papa, une tante pleine de bonnes intentions et débordante d'amour pour nous deux. Puis, elle a été malade, un cancer. Nous nous sommes retrouvés dans un orphelinat avec des dizaines d'enfants inconnus et parfois méchants. Luisa restait collée à moi et moi, à ma sœur. J'ai vite compris que les gens adoptaient un enfant, pas deux. J'avais peur qu'on m'enlève ma sœur. Qu'on nous sépare. Je faisais tout pour ne pas qu'on nous remarque. Quand des visiteurs venaient à l'orphelinat, nous nous cachions si nous en avions la chance. Je préférais rester à l'orphelinat, avec Luisa, que de vivre sans elle. Puis, un jour, est arrivée Simone. Simone avec son sourire et son grand cœur avec qui nous avions été jumelés parce qu'elle voulait nous adopter tous les deux. Oui, tous les deux! Assis à l'ombre dans un coin de la cour, je lisais une histoire à ma sœur. Elle s'est approchée, nous a demandé en espagnol si nous aimions beaucoup les livres. Nous sommes restés muets. En voyant ma sœur se blottir contre moi, je crois qu'elle a senti tout de suite l'amour qui nous unissait. Pas question de séparer une fratrie, c'était clair pour elle. Elle nous le répète régulièrement.

Avant d'arriver à Montréal, nous avons passé plusieurs semaines ensemble en Colombie pour nous apprivoiser et aussi régler les formalités d'adoption et d'entrée au Canada. Passeports et visas.

Nous aurions pu refuser de quitter notre pays, mais ma sœur et moi sentions que Simone nous aimait déjà. Je crois qu'instinctivement, nous savions tous les deux que nous avions besoin de cet amour-là.

Je me souviens de l'animation de Bogotá et de ses odeurs. Une belle ville! J'aimerais retourner dans mon pays. Un jour, j'irai à l'orphelinat.

Nous sommes arrivés à Montréal, en février, au cœur d'un hiver particulièrement glacial cette année-là, comme nous rappelle souvent maman. Un choc pour Luisa et moi. Du blanc partout, pas de palmiers ni de fleurs. Et quel froid! Maman nous a raconté que la première chose que nous voulions faire, c'est un ange dans la neige. Elle rigole en ajoutant qu'elle a dû nous aider à mettre nos vêtements d'hiver dans le bon ordre.

Je me suis habitué un peu au froid. Du moins, je le tolère mieux. Je préfèrerai toujours l'été.

Nous sommes bien ici. Vraiment bien. Et s'il n'y avait pas l'hiver, ce serait le paradis. Quand je suis arrivé à Montréal, j'aimais jouer dans la neige. J'imagine que tous les enfants aiment ça. Ma sœur, elle, semble avoir gardé son cœur d'enfant. Pour les flocons blancs en tout cas.

Bon, elle rentre enfin.

—Tiens, un cadeau, dit-elle en me mettant de la neige dans le cou.

—Ah, non ! Je suis tout mouillé, là !

Elle rit, bien sûr. Je lui lance le torchon qui traine sur le plan de travail. Elle l'esquive.

—Ça faisait longtemps que je ne l'avais pas fait. Tu es chanceux, n'est-ce pas ?

—Si on veut. Bon, là, c'est le temps de préparer le souper.

—Tu m'attendais ou quoi ?

—Pas vraiment. Je réfléchissais.

—Tu réfléchis trop. Laisse-toi vivre un peu.

—Réfléchir ne m'empêche pas de vivre.

—Peut-être pas, mais là, ça t'a retardé pour la préparation du souper.

—Je compte sur toi.

—Je suis à tes ordres. Allez, grand chef, on commence.

Luisa est exubérante et elle est aussi d'une grande efficacité quand elle cuisine avec moi. Nous faisons une formidable équipe. On se répartit les tâches. En quelques minutes, les carottes et le navet sont coupés en cubes, les pois mangetout sont lavés. Pendant que je fais revenir l'ail, beaucoup d'ail, des ognons et des poivrons dans l'huile d'olive, elle lave la romaine et les tomates, tranche des champignons.

—Hum, ça sent tellement bon, l'ail! s'exclame-t-elle avec emphase. Et c'est tellement bon. Il n'y en a jamais assez. Du piment non plus.

—Si on mettait autant de piment que tu veux, tu serais probablement la seule à manger ici.

—Que veux-tu, j'ai des gènes de dragon.

—Ça, c'est certain, que je rétorque en allant chercher le poulet au frigo.

J'émince la viande, l'ajoute dans le chaudron. Je mélange aux légumes dorés, baisse le feu, couvre. Luisa touille la salade. Les légumes racines cuisent.

Tout sera prêt dans une quinzaine de minutes. C'est juste le temps qu'il faut pour dresser la table et préparer la coriandre, mon ingrédient fétiche. Moi, c'est ça que je mettrais partout. J'en fais pousser dans des pots devant la fenêtre de la cuisine. Les plants produisent moins en hiver, mais j'ai toujours de ces feuilles odorantes à portée de la main. J'en récolte plusieurs, les cisèle. Je les ajouterai à la viande au moment de servir, avec de la poudre de cumin et un peu de sel. Ça rehaussera les saveurs.

—Hum, quelle odeur ! lance Nadège en ouvrant la porte d'entrée de la maison.

—Tu te surpasses, mon frérot, crie Thomas. On va encore se régaler.

Ils sont au fond du corridor. J'ai l'impression d'entendre leur estomac crier.

Ils arrivent dans la pièce alors que je vérifie le poulet.

—Wow ! Nadège ! s'étonne Luisa.

Je me retourne. Nadège a les cheveux bleus.

Elle est magnifique.

On dirait que je la vois pour la première fois. Je suis foudroyé. Mon cœur s'emballe. Je perds mes mots.

—C'est beau ! reprend ma sœur. Tu ne trouves pas, Juan ?

Je me secoue et je m'empresse d'acquiescer. Je jette rapidement un œil à Thomas. Je l'envie d'avoir Nadège comme copine. Je l'envie beaucoup. Beaucoup.

Pour cacher mon trouble, je reviens à mon chaudron. Je soulève le couvercle, hume et jette la coriandre sur le poulet.

—Je meurs de faim, dit Thomas. Maman et Colombe vont arriver bientôt.

Sur ces mots, nous entendons la porte de l'entrée, puis les rires de Colombe et de maman. Le souper promet d'être joyeux.

Elles arrivent rapidement dans la pièce.

—Hum! Ça sent le bonheur ici! s'exclame Colombe.

—C'est vrai. Et il faut faire profiter d'autres personnes de ce bonheur, réplique maman avec un sourire énigmatique.

Chapitre 2

Samuel arrive au dessert. Il s'installe avec nous et se sert une énorme portion de salade de fruits. Mon frère est un ogre.

— Merci d'être revenu plus tôt, lui dit Simone. Je voulais que vous soyez tous là ce soir. J'ai un grand projet à vous proposer. Un projet que je trouve emballant et j'ai besoin de vous pour le réaliser. Ce projet pourrait changer beaucoup de choses ici. Voilà pourquoi il faut que vous soyez d'accord pour monter dans le navire.

Nous la fixons, intrigués. On peut s'attendre à tout avec maman. Peut-être voudra-t-elle nous demander de participer à un jardin communautaire ? Ou bien nous enrôler dans un projet pour aider les démunis ? Non, ça ne doit pas être ça, puisque ça semble nous concerner de près. Je ne devine vraiment pas.

Nous attendons. Simone nous regarde l'un après l'autre en souriant. Elle s'attarde sur Nadège qui est un peu mal à l'aise.

— Je peux vous laisser seuls, si vous voulez, propose-t-elle, en soutenant le regard de maman.

— Non, voyons, répond cette dernière. Tu fais partie de la famille.

Des secondes passent. Nous attendons patiemment. J'entends Samuel avaler. C'est clair que maman hésite à se lancer. Colombe la pousse du coude.

— Allez, dis-leur !

— Oui, oui, j'y arrive, rigole doucement maman.

Elle prend son souffle, puis commence.

— Vous êtes tous bien grands maintenant. Nous formons une belle famille, une famille moins conventionnelle, certes, et nous vivons de bons moments ensemble.

Maman fait une pause. On dirait qu'elle cherche ses mots. Ça ne lui ressemble pas. D'habitude, elle est directe, claire, précise. Elle trouve toujours facilement comment dire le beau et le moins beau. Là, vraiment, elle hésite. Comme si elle redoutait notre réaction. Nous attendons tous patiemment.

— Samuel et Thomas, vous souvenez-vous comment vous vous sentiez quand Juan et Luisa sont arrivés chez nous ?

— Bien sûr ! J'étais curieux de les connaitre, dit Thomas. Et maintenant, je suis heureux de les avoir comme frère et sœur.

Samuel approuve de la tête en gobant encore sa salade de fruits.

— Et vous deux, Juan et Luisa, vous souvenez-vous de votre arrivée ?

— Oh oui ! Comment pourrais-je oublier ? Je me sentais tellement perdue si loin de mon pays. Je pleurais souvent et tu me consolais. Il y avait la belle neige et le froid. Tout était nouveau, mais je sentais qu'il y avait de l'amour pour moi et pour Juan ici. Même si la Colombie me manquait, et encore plus mes amis de l'orphelinat, je savais que rien ne pouvait m'arriver de mal, puisque mon frère était là aussi, déclare Luisa en touchant ma main. Parce que tu nous avais pris tous les deux, je savais que nous pourrions être heureux dans cette maison, avec nos nouveaux frères et toi pour nous aimer.

Ma sœur a une toute petite voix. Émue, elle se tourne vers moi. Je réfléchis un moment avant de me lancer.

— Comme Luisa, je pensais beaucoup à la Colombie. L'orphelinat ne me manquait pas particulièrement, mais tout est si différent à Montréal que je ne savais pas comment agir. Je ne croyais pas tout à fait à ma chance. Pendant des mois, j'ai eu peur qu'un jour tu nous retournes d'où nous venions. Je faisais des cauchemars, tu te rappelles.

Simone me fixe et sourit.

— Comment aurai-je pu abandonner deux enfants aussi merveilleux que vous !

— Et tu crois que nous l'aurions laissé faire ! Surtout qu'enfin nous avions une sœur à qui nous pouvions tirer les tresses, s'esclaffe Samuel.

C'est fou ! Les mots de Samuel font ressurgir mille souvenirs. Je revois Simone en train de coiffer ma sœur, démêlant ses longs cheveux sombres avec douceur, en lui apprenant des mots français.

Je l'entends nous raconter des histoires en espagnol qu'elle reprenait ensuite en français. Je me rappelle avec quelle patience Samuel nous expliquait les règles de certains jeux de société. Thomas, lui, m'amenait partout où il allait. Je faisais partie de sa bande d'amis. Toujours, ils nous ont défendus quand d'autres enfants s'en prenaient à nous ou se moquaient de notre manière de parler un peu hésitante. Bien sûr, parfois, nous nous querellions un peu. Comme tous les enfants dans toutes les familles. Normal, quoi.

— Justement, reprend Simone, voilà mon fameux projet. Que diriez-vous d'accueillir une petite fille ? Une sœur de plus, quoi, lâche-t-elle vivement.

Je reste sans voix ! Simone veut adopter un autre enfant ! Recommencer avec un autre ce qu'elle a réussi avec nous : rendre un être humain heureux. Vraiment, elle a un cœur immense ! Je regarde les autres. Ils sourient.

— Une sœur ? Moi, je veux bien, à condition qu'elle ait des tresses et qu'elle soit aussi fantastique que Luisa et que

Nadège, reprend Samuel. J'adore les filles, moi ! Et la salade de fruits !

Nous rions tous. Simone semble heureuse de notre réaction.

— Bien sûr, elle n'arriverait pas tout de suite. Il y a tant de démarches à faire quand on veut adopter un enfant ! Ça prend de la patience et de l'énergie à revendre. Vous aurez le temps d'espérer et de vous décourager, puis de reprendre espoir de voir bientôt la binette de cette petite fille. On a le cœur en montagnes russes quand on attend ce genre de bonheur. Une fois que le processus d'adoption est enclenché, on vit en rêvant de cet enfant qu'on accueillera. À cette pensée, le cœur se remplit de confettis qui ne demandent qu'à faire la fête.

Maman nous a raconté plus d'une fois notre histoire d'adoption. Après avoir surmonté tous les obstacles qu'elle a rencontrés pour que nous puissions arriver à Montréal, je ne doute pas qu'elle trouvera toutes les solutions encore une fois. Oui, nous aurons une sœur. Luisa et moi pourrons aider et consoler cette fillette quand elle sera là. Comme Samuel et Thomas l'ont fait pour nous. Nous deviendrons un grand frère, une grande sœur. Simone nous offre ce cadeau.

— Vous vous imaginez bien que votre mère a déjà pris quelques informations, dit Colombe.

— Il y a tant d'enfants dans le monde qui sont sans parents, dans des conditions difficiles. Ça me déchire le cœur de voir toute cette misère. Je voudrais pouvoir faire plus. Nous avons une grande maison, pas immense, mais je crois qu'on a suffisamment de place pour agrandir notre famille. Et puis, Samuel et Thomas, bientôt vous partirez du nid pour vivre votre vie. La maison sera bien vide alors. J'ai besoin d'entendre des rires, que ça bouge tout autour de moi. J'aime le rôle de maman, j'aime voir grandir un enfant, le voir s'épanouir. J'apprends tellement ! Oui, j'ai tant appris grâce à vous tous ! Je crois que je suis un peu égoïste.

— Bien oui, maman. C'est connu : tous les égoïstes accueillent des enfants du monde, ricane doucement Samuel. Tu as cependant raison sur un point. C'est évident que tu es faite pour prendre à bras ouverts le rôle de maman. C'est aussi vrai que dans très peu d'années, Thomas et moi entreprendrons une autre étape de notre vie. Comme Juan et Luisa plus tard.

Colombe sourit. Thomas et Nadège se regardent avec tendresse. L'amoureuse de mon frère a les yeux remplis d'étoiles. Il lui prend la main. Ils ont un regard de connivence. Je voudrais être Thomas. Je voudrais que ce soit moi que Nadège aime. Que se passe-t-il ? Je suis jaloux. Je suis jaloux de mon frère. Je tourne la tête pour ne plus voir leur bonheur. Je fixe maman.

— Tu as déjà choisi qui sera notre sœur ? demande Luisa.

— Non, évidemment, je voulais vous consulter avant de commencer sérieusement les démarches. Vous auriez pu être contre.

— Hein ! Tu as pensé ça ? s'étonne Thomas.

— Non, pas vraiment, en fait. Mais j'avais besoin de bien réfléchir, de peser tout. Vous savez tous qu'adopter un enfant, ce n'est pas comme faire un achat sur Internet. Il y a tant de considérations humaines. C'est très difficile d'admettre qu'on ne peut pas sauver le monde, mais juste aider une personne en lui offrant un milieu chaleureux et, surtout, paisible.

— Mais c'est au moins une personne de plus qui sera bien, aussi bien que nous, en tout cas, continue Luisa. Tu veux encore adopter en Colombie ?

— Non, je crois que ce serait une fillette d'Haïti. Depuis le tremblement de terre de 2010, les conditions de vie ne cessent de se détériorer. Les orphelinats débordent, la nourriture manque. Non, vraiment, les choses ne s'améliorent pas, malgré les efforts internationaux pour aider le pays. Les catastrophes naturelles se succèdent. C'est fou ! Les Haïtiens sont toujours en état de survie.

C'est vrai que, lorsque les informations diffusent des nouvelles d'Haïti, ce ne sont que des images d'ouragan, de maisons détruites, de queues sans fin devant des camions qui distribuent de l'eau et du riz. Ici, ce soir, il reste du poulet dans le chaudron, de la salade de fruits dans l'immense plat. Il y a assez pour encore nourrir au moins deux personnes.

Samuel repousse son bol vide, s'essuie la bouche avec la serviette, croise les bras et s'appuie sur la table.

— Si je comprends bien, notre sœur aura la peau noire et, j'espère, plusieurs petites tresses. Ça semble être un modèle parfait, dit-il en riant. Qu'en pensez-vous ? Moi, en tout cas, j'ai hâte de la connaitre, de lui tirer les tresses, et surtout, de lui donner des bisous.

Maman regarde son ainé, puis tous les autres. Elle a les larmes aux yeux.

— Il semble donc qu'une belle aventure va bientôt commencer pour nous tous. Je sais que je peux compter sur vous pour donner des idées et m'épauler. Vous êtes tellement formidables, mes chéris !

Je crois qu'elle ne se rend pas tout à fait compte que c'est elle qui est extraordinaire. Elle sourit de ce sourire doux qui m'a tant de fois réconforté et qui aura sans doute le même effet sur notre sœur.

— Je lève mon verre d'eau à une fillette inconnue qui deviendra la princesse de cette maison. Je jure d'être son chevalier, de la faire rire, de la consoler et, surtout, de tout faire pour la rendre heureuse, dis-je avec emphase en regardant Nadège.

Tous lèvent leur verre. Nadège me sourit.

L'atmosphère est électrique.

Mon cœur se gonfle de joie.

Chapitre 3

Finie la neige. Avril a été bien chaud. Mai ressemble à l'été.

Luisa est amoureuse. La voilà encore plus virevoltante que d'habitude. Elle ne porte pas à terre. Ça me fait tout drôle de penser que ma sœur aime un garçon alors que, depuis toujours, j'étais le seul à qui elle racontait son cœur. Je l'observe. Elle est rayonnante, radieuse, heureuse. C'est merveilleux de la voir. Son histoire d'amour semble toute simple et remplie de petits bonheurs.

Dans la maison, on entend des « Vilmont est fantastique. Vilmont veut aller en Haïti. La sœur de Vilmont est vraiment craquante. Son frère est une petite terreur. Je vais au ciné avec Vilmont. Je fais mes devoirs avec Vilmont ».

C'est vrai qu'il est gentil, Vilmont. Là, j'en suis convaincu, mais au début je le trouvais plutôt prétentieux. Il n'arrêtait pas de parler de son emploi de déménageur en ajoutant chaque fois que son patron le trouve fort, qu'il n'a jamais eu un bon travailleur comme lui. Un peu vantard. Ça m'énervait. Alors, je lui ai demandé s'il savait cuisiner. « Euh, non, mais je veux bien apprendre », a-t-il répondu. Je tenais ma chance de le mettre à sa place. Il verrait bien que chacun a ses talents. Je croyais qu'il allait tenter de montrer qu'il savait tout. Je me suis royalement trompé. Au contraire, il a vite admis que soulever un meuble, c'est plus facile que de couper des légumes. Comme Nadège, il est souvent chez nous. Et moi, je cuisine pour tous, avec ma sœur comme cuistot en plus de Vilmont qui fait tout son possible pour aider. Non, il n'est pas doué, mais je ne perds pas espoir, même si parfois je manque de patience quand je lui explique, encore une autre fois, comment émincer un ognon. En tout cas, il nous a apporté des recettes de son pays, les préférées de sa famille.

Nous mangeons donc quelques fois haïtien. Notre nouvelle sœur ne sera pas trop dépaysée. La nourriture, c'est un excellent réconfortant, c'est prouvé. C'est comme un point d'ancrage dans la vie. La bouche remplie de saveurs aimées et l'estomac contenté, tout semble possible. Cuisiner me fait du bien et me donne aussi beaucoup de temps pour réfléchir.

Car ces temps-ci, j'ai l'impression de vivre à côté de moi. Comme si j'observais quelqu'un d'autre se réveiller, se laver, manger, marcher, aller à l'école. Je ne suis pas celui qui porte mes chaussures. Je fais tout comme un automate, par habitude, comme si je ne sentais rien. Non, je n'ai envie de rien. Je suis taciturne. Je vis dans ma tête. Trop dans ma tête, comme me répète Michael, mon meilleur copain. Il voudrait que je sorte de cette passe. Moi aussi. Je n'y arrive pas. Nadège occupe mon esprit. J'essaie de me raisonner : c'est la copine de Thomas. Ce ne sera jamais la mienne! Comment la sortir de ma tête? Et puis, je sens que Luisa s'éloigne de moi. Bien sûr, je suis content que ma sœur soit en amour, mais je ne croyais pas que ce serait si difficile de ne plus être son unique confident. Je ne sais plus tout d'elle. Elle a une vie en dehors de la mienne, de la nôtre. Et ça me renvoie face à ma solitude. À qui raconter mon cœur maintenant ? Oui, je me réjouis pour elle, mais je me sens complètement abandonné. Ça me trouble et me rend triste. J'essaie de me secouer, de cacher mes états d'âme à ma famille. À Thomas surtout. Maman a probablement tout deviné. Elle attend sans doute que je parle. Elle ne résistera pas encore longtemps avant d'aborder le sujet de front. Je sais qu'elle trouvera la phrase qui me fera tout dévoiler. Je ne suis pas prêt alors j'évite de me trouver seul avec elle.

Je ne veux pas en parler à personne pour le moment. Je veux d'abord essayer de régler ça moi-même. Nadège ne doit rien savoir. Je veux aussi comprendre pourquoi c'est si difficile de voir ma sœur se détacher de moi, moi qui la protège depuis toujours. Peut-être a-t-elle toujours eu moins besoin de moi que moi d'elle ? Est-ce la plus forte de nous deux ?

Assez, les questions! Il faut que je profite de cette belle journée pour réaliser quelque chose dont je serai fier. Quelque chose de bon.

— Juan! Juan! Où es-tu?

Luisa me réclame. J'entends ses pas dans l'escalier.

— Dans la cuisine, dis-je en ouvrant un livre de recettes pour lui faire croire que je suis occupé depuis un bon moment à chercher de nouveaux mets à concocter.

Elle entre en coup de vent, trépigne devant moi, me tourne autour. Un vrai kangourou fou.

— Tu sais pas quoi?

— Euh… Non.

— Devine, allez.

— ...

— Fais un effort!

— C'est à propos de Vilmont?

— Non.

— Au sujet de l'école?

— Non.

Elle sourit de toutes ses dents. Elle attend ma prochaine question. Je la regarde puis je reprends le livre de recettes. Je n'ai pas envie de jouer à son jeu. Je sais qu'en faisant l'indifférent, elle craquera rapidement et me mettra au parfum.

— Allez, quoi !

Je baisse les yeux sur mon livre. Je me concentre sur les ingrédients d'une recette de poulet au beurre.

— Alors, tu ne sauras pas !

Elle tourne les talons et marche vers la porte de la pièce. Belle tentative pour m'obliger à la questionner. Je ne bronche pas. Elle soupire très fort et revient vers moi, le sourire encore plus large.

— Maman sait qui sera notre sœur ! explose-t-elle en sautant sur place. Elle s'appelle Odélie et elle a six ans ! Maman vient de recevoir le courriel. J'ai vu sa photo. Elle est trop mignonne ! C'est fantastique, n'est-ce pas ?

— Oui ! Formidable, dis-je en abandonnant mon livre sur le comptoir.

Je m'élance, je monte l'escalier et trouve maman en train de discuter sur Skype avec une femme à lunettes roses. La conversation est animée. Maman est sérieuse, mais j'entends le bonheur dans sa voix.

— Oui, oui, je viens tout juste de recevoir votre message. Je suis tellement contente ! Odélie sera bien avec nous. Nous ferons tout pour qu'elle soit heureuse. Voilà justement Juan, un de mes fils. Viens que je te présente, continue maman en m'invitant de la main.

Je me place à la hauteur de l'écran, le visage tout près de celui de maman. Et je souris à la dame, comme si c'était quelqu'un que j'aime éperdument. J'essaie de réfréner ce sourire qui doit sans doute avoir l'air un peu niais. Mais je n'y arrive pas.

— Bonjour, Juan. À te voir aussi souriant, je crois que tu attendais cette nouvelle autant que ta maman, remarque la dame d'un ton espiègle. Je crois qu'Odélie sera bien entourée avec vous tous.

— Son prénom est plein de poésie, dis-je dans un souffle. Ma sœur a vu sa photo. Pas moi.

— Je vais te la montrer tout à l'heure, promet maman avec enthousiasme pendant que la dame soulève un document qu'elle retourne pour que je le vois.

Ma nouvelle sœur est là, avec des yeux verts immenses dans un visage mince café au lait. Elle sourit timidement. Il lui manque une dent. Elle tient la jupe de sa robe jaune avec une main pendant que l'autre serre une peluche, un lapin dodu, contre son cœur. Elle est si frêle !

Mon cœur fond. Littéralement. J'aurais envie de la prendre dans mes bras, là, tout de suite, de lui dire qu'elle sera en sécurité avec nous, que je lui apprendrai à grimper aux arbres, à cuisiner des gâteaux au chocolat. Je la défendrai contre tout.

— J'ai hâte qu'elle arrive, dis-je sobrement à la dame quand elle enlève la photo.

— Il faudra que tu sois encore un peu patient, mon garçon, répond la dame en rigolant doucement.

— Je le serai. Maintenant, je sais qui j'attends : Odélie, une petite princesse qui aime les lapins. Elle a déjà une place dans mon cœur, dis-je, la voix un peu chevrotante. Je vais vous laisser avec maman pour continuer à régler des choses. Comme ça, tout avancera au moins un peu.

— Tu es un jeune homme sage. Au revoir, Juan. C'est un plaisir de te connaitre. Je suis certaine qu'Odélie trouvera en toi quelqu'un de généreux qui saura l'aider dans sa nouvelle vie.

— Merci. Oui, je vais tout faire pour qu'elle soit bien ici. Comme nous tous, d'ailleurs.

— Je n'en doute pas un instant.

Je quitte la pièce pendant que Simone pose des questions sur la santé d'Odélie. Je n'attends pas la réponse. Je redescends l'escalier. Je vole dans l'escalier. Il y a longtemps que je ne me suis pas senti aussi léger.

J'entends Luisa fredonner. J'entre dans la cuisine et la trouve devant le plan de travail avec un grand bol, un sac de farine, des œufs et du sucre devant elle.

— On fait un gâteau des anges ? demande-t-elle, levant une spatule en l'air. Il faut fêter ! On aura un petit ange avec nous bientôt.

— Bonne idée !

Et nous nous mettons au travail, ma sœur et moi, ensemble, près l'un de l'autre. Complices comme avant. Nous papotons, mesurons, versons, brassons.

À cet instant, je sais que je reprends ma vie, ma vie du gars aux mille projets, qui croque dans les jours, qui est curieux de tout et des gens. Enfin, je suis parfaitement bien.

Je n'en doute pas. Ma sœur m'aime. Je l'aime. Nous nous aimons. Point.

Vilmont ne changera rien à ça. Ni personne. Nos liens sont trop serrés pour que quelqu'un réussisse à nous séparer.

Je m'étais fait de fausses idées.

Je suis soulagé.

Tellement soulagé.

— Vilmont t'a abandonnée ?

— Comment voudrais-tu qu'il m'abandonne, moi, si merveilleuse.

— Oups ! Il vente fort ici…

— Ben quoi ! Il faut bien s'envoyer des fleurs de temps en temps.

— Tu as raison, ma merveilleuse sœur. On s'y met à ce fameux gâteau ?

— Oui, oui. Vilmont va arriver juste à temps pour la vaisselle, m'apprend-elle en regardant sa montre. Alors, tant qu'à cuisiner, on pourrait aussi faire des muffins. Et on le chargera de tout nettoyer, ajoute ma sœur avec un air taquin.

— Il va encore t'aimer après, tu crois ?

— Bien sûr ! Voyons donc ! Il est fou de moi ! répond-elle en riant.

— Ou juste fou, dis-je en rigolant aussi.

— Comme Thomas est fou de Nadège, ajoute-t-elle avec un clin d'œil.

Je comprends alors qu'elle lit toujours en moi. Qu'elle se préoccupe de moi, comme avant Vilmont.

Et je lui raconte tout.

Chapitre 4

Je suis revenu à la maison vidé, mais heureux comme un roi. L'examen de maths était difficile. Je crois que je m'en suis très bien tiré. Finie l'école ! Plus qu'un an au secondaire !

En retournant chez moi, je suis passé par le resto où je souhaitais travailler cet été. La patronne était là et quand je me suis présenté, elle m'a souri.

— Ah, c'est toi, ça ! Charline, ma gentille serveuse, m'a dit que tu lui avais parlé de tout ce que tu cuisinais. Je crois que tu l'as impressionnée. Tu sais qu'ici on fait des mets mexicains et que nos recettes sont secrètes.

— Pas pour le secret, non. Ce que je sais, c'est que c'est délicieux ici et que j'aimerais bien apprendre des trucs du métier.

— Serais-tu prêt à commencer vraiment au bas de l'échelle, ce qui veut dire plongeur ?

— C'est certain que je suis très bon pour faire la vaisselle. Je préfère cuisiner, mais l'un ne va pas sans l'autre, donc j'ai souvent dompté le lave-vaisselle chez nous.

Elle a éclaté de rire.

— Dompter un lave-vaisselle ! J'aime bien. Alors, jeune homme, si ça te tente, je suis prête à t'engager quinze heures par semaine, à l'essai. Au début, je te mets à la plonge. Si tu es vraiment intéressé, si tout va bien, je te promets de t'expliquer des trucs en cuisine.

— C'est vrai ? Vous m'engagez ! ai-je presque crié.

J'avais envie de lui sauter au cou.

— Oui, parce que tu sembles être un garçon de confiance. J'ai envie de te donner une chance. Est-ce que tu peux être là demain à 10 h ? Tu verrais le fonctionnement du resto et tu ferais le service du midi. Il y en a des assiettes et des verres à laver, tu verras.

— Merci ! Je suis vraiment content.

— Je compte sur toi. À demain.

Je suis sorti, flottant sur un nuage. Je n'aurais pu demander mieux comme travail d'été, moi qui veux étudier en cuisine plus tard.

J'ai réussi à tenir ma langue jusqu'au souper, souper de pâtes que j'avais cuisiné. Tout le monde s'est réjoui pour moi. Depuis, je vais au resto tous les midis de semaine. Je lave des montagnes de vaisselle. Je suis très efficace d'après Charline. Le mercredi, j'arrive 30 minutes plus tôt. Ma patronne, Lina, me révèle ses secrets.

Mon cœur est léger.

Maman, elle, semble nerveuse, tendue. Nous avons appris que ma nouvelle petite sœur arrivera en aout. Simone organise son voyage vers Haïti. Elle essaie de tout prévoir.

— Et si Odélie changeait d'avis ?

— Ça n'arrivera pas, tente de la rassurer Samuel, ou Thomas, ou moi.

Dans ses inquiétudes, elle laisse transparaitre toute sa fragilité, sans pudeur. Maman, si forte d'habitude, ne peut rien camoufler de ce qu'elle ressent face à cette attente. Oui, elle a hâte de rencontrer Odélie et elle désire que cette première rencontre soit parfaite. C'est touchant de la voir comme ça. Luisa réussit à la réconforter. Juste en lui souriant. C'est fou comme le sourire de ma sœur est magique. Moi, je ne trouve pas les bons mots.

En observant maman, je l'imagine quand elle se préparait pour nous accueillir, nous deux si proches l'un de l'autre. Sans doute était-elle aussi préoccupée par tous les détails du voyage. Mais ce qui me frappe, c'est à quel point elle aime déjà Odélie, même sans la connaitre. Un désir d'adopter un enfant, quelques photos d'une fillette, et voilà que son cœur déborde d'amour. Et nous, nous étions deux ! Un cœur de géante !

Dans le bureau, une grosse valise, toujours ouverte, reçoit chaque jour de nouveaux objets. Elle est déjà pleine de vêtements d'été pour Simone, bien sûr, mais il y a aussi deux robes pour Odélie. S'ajoutent petit à petit des médicaments de toutes les sortes, des mouchoirs de papier, des crayons de couleur, du papier, des photos de nous tous. Hier, une peluche lapin y a trouvé sa place.

— Pour nous, tu avais apporté des livres, lui ai-je rappelé.

— À l'orphelinat, on m'avait dit que c'était ce que vous aimiez le plus.

— *L'écharpe rouge* et *La grande aventure d'un petit mouton noir*.

— Une histoire sans paroles et une autre facile à inventer en regardant les illustrations même si on ne peut lire les mots.

— Oui et je me souviens aussi que tu nous les racontais en espagnol chaque soir quand nous étions encore en Colombie, puis ici pendant un bon moment. Je crois que je pourrais les réciter par cœur. Luisa les a gardés comme des trésors, ces deux albums.

— Je crois que les livres vous ont permis tous les deux de vous adapter ici, à moi, à votre nouvelle vie. Quand je racontais, vous vous loviez contre moi. Jamais je n'oublierai ces moments où même après des journées où toi ou ta sœur étiez tristes, vous finissiez par sourire grâce à mes histoires.

— Samuel et Thomas aussi nous ont aidés. Ils nous apprenaient des mots, des phrases et, en retour, nous leur montrions comment dire les mêmes choses en espagnol.

— Formule gagnante, quoi ! Eux aussi ont dû s'adapter. Je crois que je leur en ai demandé beaucoup à l'époque. Ils ont été formidables.

— On se chamaillait parfois aussi.

— Bien sûr, comme dans toutes les familles ! Vous avez pratiquement le même âge tous les quatre. Des conflits, ça arrive. Je sais que Samuel voulait toujours être le chef. Il taquinait beaucoup ta sœur, la plus jeune du quatuor. Toi, tu la défendais quand il lui tirait les tresses. Tu te fâchais contre lui. Tu devenais comme un ouragan. Tu fonçais sur lui. Ce n'était pas facile de te calmer.

— Thomas lui disait aussi de laisser Luisa tranquille.

— Quand Samuel taquine, impossible de le convaincre d'arrêter, tu le sais. Il ne change pas. J'espère qu'il sera plus mollo avec Odélie.

— Elle se sentira probablement bien petite parmi nous tous.

— Surtout perdue. Au moins, elle arrivera en été, contrairement à vous deux.

— Elle adorera peut-être l'hiver comme Luisa.

— Je souhaite qu'elle se sente bien avec nous. Juste ça.

Je prends maman dans mes bras pour la rassurer. C'est clair pour moi qu'elle a besoin d'un câlin.

— Ah, Juan ! Mon fils si tendre, me dit-elle d'une voix douce.

Nous restons ainsi quelques instants puis elle se remet à ses bagages.

Odélie sera avec nous bientôt. J'ai moins eu le temps d'expérimenter de nouvelles recettes haïtiennes avec mon travail au resto. Je sais cuisiner du pain patate, du riz aux petits pois et du griot de porc. Mieux que rien.

Je me rends compte que juillet passera vite, très vite.

Maman partira le 22 et reviendra début aout, avec une jeune voyageuse tenant un lapin dodu dans la main droite et un minuscule lapin dans la gauche.

Comment vivra-t-elle son arrivée ?

Et moi, comment est-ce que je me sentirai en voyant cette enfant vivre ce que j'ai vécu il y a six ans ?

Chapitre 5

Odélie est là depuis cinq jours. Quand je l'ai vue, j'ai tout de suite pensé à un oisillon tombé du nid trop tôt, un poussin qui tremble, toujours aux aguets. Elle est souvent inconsolable. Ses pleurs remplissent la maison. Ça peut durer des heures. Elle se couche sur le tapis du salon, serrant son lapin trempé de larmes. Simone s'assoit par terre, près d'elle. Luisa aussi. Elles lui chantent une berceuse pour essayer de la calmer. Nous ne savons jamais pourquoi elle pleure. Fatigue ? Dépaysement ? Peur ? Frustration de ne pas être comprise ? Manque de camarades de son âge ? Très difficile de deviner ce qui se passe dans sa jolie tête. Je suis allé voir la scène quelques fois, mais je me sens de trop, impuissant devant tant de chagrin. Incompétent pour la réconforter.

Moi, je suis surtout efficace pour lui cuisiner ce qu'elle aime. Elle mange avec appétit. Chacun ses talents…

Maman me rassure. C'est normal qu'Odélie soit si désemparée et qu'elle le montre autant.

— Je préfère qu'elle exprime sa colère, sa tristesse et sa peur plutôt qu'elle s'isole et se ferme à tout. Là, je peux et nous pouvons tous faire des gestes pour tenter de la rassurer, a expliqué Simone. Tu peux t'imaginer comment c'est dur d'arriver dans un endroit étranger, sans personne qu'on connait. Toi, tu avais Luisa. Elle, aucun visage connu. De sa vie d'avant, il ne lui reste que son lapin.

— Et elle n'a que six ans, ai-je répondu.

J'avais dix ans et Luisa huit quand Simone nous a adoptés. Je crois d'ailleurs que ma sœur vit l'arrivée d'Odélie plus difficilement que moi. Elle se repasse les souvenirs des premiers mois dans cette maison. Bien sûr, moi aussi, je repense à mes premiers mois à Montréal. Luisa, elle, semble revivre très intensément ses émotions d'alors. Nous étions si déroutés ! Oui, comme elle, je trouvais ça étrange d'avoir autant d'attention d'un adulte, d'un adulte inconnu, habitué de n'être qu'un enfant parmi des dizaines d'enfants souvent laissés seuls à leurs jeux ou leurs batailles. C'est avec Simone, petit à petit, que j'ai réappris ce qu'était un câlin et surtout à quel point ils m'avaient manqué depuis que mes parents étaient morts. Au début, quand ma nouvelle maman me prenait dans ses bras, j'éclatais en sanglots et la repoussais. Des souvenirs remontaient en moi, des souvenirs que mon esprit avait sans doute enfouis pour me protéger de la perte de mes parents. Peut-être aussi parce que je devais prendre soin de ma sœur, que je devais me montrer fort pour lui prouver que nous pourrions nous en sortir tous les deux, en restant ensemble. Oui, je faisais le courageux pour rassurer Luisa. Quand Simone me tendait les bras, j'imaginais que c'était ceux de maman. Je revoyais mes parents qui venaient me border chaque soir, je salivais à la pensée des mets que maman cuisinait, j'entendais les airs d'accordéon que papa nous jouait le dimanche. Je m'ennuyais de l'odeur de la terre et des fleurs, du bleu du ciel, de mon village, de mes amis. De la Colombie. Les semaines ont passé et, un soir, je me suis enfin abandonné dans les bras de Simone, conscient que ce n'était pas ceux de ma mère, l'acceptant, convaincu que ces bras-là appartenaient à quelqu'un qui m'aimait. Tout a changé pour moi à cet instant. Cette maison est vraiment devenue la mienne. Je gagnais une mère, deux frères, et ma sœur était avec moi. J'avais ce qu'il fallait pour être heureux. Mon bonheur serait peut-être loin de la Colombie, mais je ferais tout pour que ma vie soit palpitante, réussie. Maintenant je sais que c'est ce soir-là que j'ai décidé d'aller de l'avant, de foncer, de réaliser mes rêves. Non, je n'oublierais jamais ma Colombie. Oui, un jour, je la reverrais. Là, je suis à Montréal, j'ai grandi dans cette famille, avec Luisa. C'est parfait comme ça.

Luisa, elle, se demande souvent ce que nous serions devenus si nous étions restés dans notre pays.

— On aurait pu être adoptés par des parents colombiens ?

— Ça, on ne le saura jamais.

— Je sais, mais imagine, peut-être que nous serions en train de préparer de grands projets pour faire avancer notre beau pays.

— Ici aussi, c'est un beau pays.

— Oui, c'est certain. Ce que je veux dire, c'est que parfois j'aimerais avoir grandi là-bas.

— Même à l'orphelinat ?

— C'était notre maison, j'étais avec toi et elle était remplie de rires…

— De cris, de larmes, plus souvent qu'autrement.

— Pour le moment, ici aussi, c'est souvent comme ça.

—Tu as raison, mais je suis certain que dans quelques semaines Odélie sera plus calme, qu'elle se sentira bien avec nous. Il faut lui donner du temps et de l'amour.

— Ah, la recette magique…

C'est très dur de voir Odélie si triste. J'ai hâte qu'elle se sente bien ici. J'ai hâte parce que je vois aussi que cette tristesse se communique à Luisa. Ma sœur ne virevolte plus. Ça me manque beaucoup.

Cependant, toutes les deux se remettent à sourire quand Vilmont arrive. Toutes les deux s'accrochent à lui. Et Odélie parle, parle, parle. En créole, bien sûr. Le géant lui répond, la taquine. Elle rit et c'est merveilleux de l'entendre. Après son départ, la fillette reste calme et enjouée plusieurs heures. Je peux alors m'assoir avec elle, lui dessiner des bonshommes ou regarder un film. Et ce qu'elle aime le plus, faire des brochettes de fruits avec elle. Elle adore les fraises et les kiwis.

Je sais quelques mots de sa langue, mais évidemment pas assez pour vraiment discuter en créole. Elle m'écoute quand je lui apprends des mots français, les répète. Fière d'elle, elle s'applaudit. Dans ces moments-là, je me dis qu'elle commence à s'adapter un peu à moi, à nous, à la maison, à notre vie si différente de l'orphelinat. Elle va trouver sa place. Il y en a une pour elle.

Oui, Vilmont est un magicien. Aujourd'hui, alors que nous rangions les restes du repas du midi, il est arrivé dans la cuisine au bras de Luisa et avec sa sœur de sept ans. Cristelle tenait une peluche jaunâtre. Un lapin. En voyant le toutou, Odélie, d'un geste joyeux, a tendu le sien vers Cristelle en riant.

— *Tankou !*

— *Lapen !*

Puis les filles ont fait comme si nous n'existions plus. Elles ont joué au salon avec les peluches, papotant comme deux bonnes amies. C'était formidable de les voir toutes les deux s'amuser autant, d'entendre leurs rires traverser la maison.

— Cristelle avait hâte de rencontrer Odélie. Quand elle a su qu'elle aimait aussi les lapins, eh bien là, elle a joué de son charme pour que je l'amène ici et qu'elle puisse lui présenter son lapin.

— Tu as bien fait de ne pas résister ! Franchement, c'est ce qu'il fallait faire ! Vilmont, tu es un as ! lui ai-je dit en lui donnant un petit coup de poing sur l'épaule.

— C'est rien ! Comme on voit, ça fait plaisir aux deux petites. C'est ce qui compte. Quand je serai en Haïti, maman a dit qu'Odélie sera la bienvenue chez nous.

— C'est gentil, dit Simone. Merci. On ira passer quelques heures chez toi, c'est certain. Tu pars bientôt, n'est-ce pas ?

— Dans quatre jours. Ça s'en vient vite. J'ai hâte.

— Tu es chanceux d'aller découvrir ton pays ! s'exclame Luisa. Simone nous en a beaucoup parlé.

— Oui, c'est vrai que je suis chanceux d'avoir la possibilité de découvrir le pays de papa et maman.

— Oh, je sens une petite nuance, là, remarque Simone, en jetant un œil à Odélie en pleine conversation avec Cristelle.

— Je suis né à Montréal.

— Je comprends très bien ce que tu soulignes, continue maman. Tu vas voir, Port-au-Prince est étonnante. Attachante aussi. J'ai vraiment eu un coup de cœur pour cette ville. La lumière est magnifique et les gens sourient facilement. Je crois que personne ne peut résister à la beauté de Port-au-Prince. Oui, la misère est évidente, mais je retiens aussi de splendides images. C'est certain qu'en une semaine, je n'ai que survolé la ville.

Oui, de superbes images que maman envoyait chaque jour. Des bougainvilliers inondés de soleil couronnant un mur de pierre, des enfants posant pour maman et faisant des grimaces, un hôtel blanc entouré d'une galerie remplie de tables, des palmiers sur fond de ciel bleu myosotis, un homme à la chemise très blanche tenant deux fillettes par la main.

— Avec papa, j'imagine que je verrai beaucoup de choses.

— Et comme tu parles créole, ce sera plus facile de vraiment entrer en contact avec la population. Comme tu l'as fait avec Odélie. Merci, Vilmont. Tu seras surement important pour elle. Et ta petite sœur aussi.

Le copain de Luisa semble un peu mal à l'aise par les propos de maman.

— Odélie doit avoir une grande réserve d'amour inutilisé. Elle en aura pour tout le monde, remarque-t-il.

Nous regardons tous dans le salon. Cristelle parle dans l'oreille d'Odélie puis elles éclatent de rire et lancent leurs lapins en l'air. Elles rient de plus belle. Ce que nous faisons aussi. J'ai l'impression que le bonheur d'être ici vient de se frayer un chemin dans le cœur de notre petite princesse haïtienne. Je jette un œil à Simone. Pas besoin de parler. C'est clair qu'elle a senti aussi le changement.

Une nouvelle vie commence pour nous tous, là. Une vie avec une fillette qui nous fera redécouvrir ce qui nous entoure avec ses questions sur tout. Pour elle, des choses qui nous semblent aller de soi l'étonneront probablement. Est-ce que j'aurai toutes les réponses ? Est-ce que je serai patient ? J'essaierai d'être un grand frère rassurant pour elle. Je veux la faire rigoler, sauter de joie. Je veux qu'elle ait aussi envie de me raconter ce qui lui fait de la peine. Je veux être important pour elle. Juste ça.

Ce sera merveilleux de la voir grandir. Quand elle aura seize ans comme moi maintenant, j'en aurai vingt-six. Je serai un adulte. Je vivrai ailleurs que dans cette maison. Je travaillerai et aurai peut-être une copine que j'aimerai autant que Nadège aime Thomas. Peut-être un enfant aussi.

Je pense à tout ça pendant qu'Odélie danse avec Cristelle dans le salon, que Vilmont et Luisa se chuchotent des secrets, que Simone monte l'escalier pour aller dans son bureau y ranger des papiers. Je suis le seul à regarder les fillettes et à sourire malgré moi. Je me sens bien, parfaitement bien.

Il me reste presqu'un mois avant de rentrer à l'école. J'adore mon été. Je me sens vivant, utile. Au resto, l'atmosphère est excellente. Charline, la serveuse souriante, me fait souvent des compliments. Parfois, je l'aide à servir les clients. Il parait que j'ai le tour. Ma patronne m'a expliqué comment calculer le prix d'un repas, comment réussir les tacos et mille et un trucs pour améliorer mon efficacité quand je prépare un menu complet. Quand je reviens après un quart de travail au resto, je suis crevé, mais toujours content de ma journée.

Simone m'a dit que j'avais le bonheur facile et que je savais trouver le positif dans des évènements qui ne le sont pas nécessairement. Je ne me rends pas compte de ça. J'essaie juste de tirer parti de ce qui m'arrive, de profiter des petites chances que j'ai. Je n'y arrive pas toujours parce que, parfois, il n'y a rien de bon dans une situation. J'essaie alors d'aborder les choses d'une autre manière, de trouver des solutions.

Depuis le début de l'été, je réfléchis beaucoup. Pour la première fois, j'ai pris conscience que le temps filait trop vite, que je devais me fixer des buts, que je souhaite rencontrer des gens nouveaux, peut-être apprendre un instrument de musique. Il y a tant de possibilités dans la vie !

Et puis, il y a l'amour. Ça fait longtemps que je n'ai pas eu de copine. Où se cache-t-elle, ma future amoureuse ?

Alors que je me pose cette question, Odélie et Cristelle viennent près de moi. Cristelle se colle à moi, puis Odélie.

— Je t'aime, m'assure la première, pendant que l'autre me fait un bisou sur la main.

Aujourd'hui, c'est de cet amour dont j'avais besoin. Je les serre toutes les deux dans mes bras.

— Ça vous tente, une crème glacée? que je leur demande.

— Oui, répond Cristelle en sautant de joie, imitée rapidement par Odélie qui n'a surement pas compris de quoi je parle.

— On y va aussi, déclare ma sœur.

Nous partons. Les petites se tiennent par la main. Elles ont apporté leurs lapins. Elles sautillent devant nous, évitant les lignes du trottoir.

Nous, les grands, sommes perdus dans nos pensées. Luisa, collée à Vilmont, reste sérieuse. J'aimerais bien voir un sourire sur son visage. Vilmont la tient par l'épaule, et la regarde avec ses yeux amoureux. J'espère que la crème glacée va les rendre joyeux. Je sais bien que Luisa trouve ça difficile que Vilmont parte bientôt. Je sais aussi qu'elle comprend pourquoi il le fait et toute l'importance que ce voyage a pour lui. Elle a peur que ça le change beaucoup, de ne plus le reconnaitre à son retour. Ce que je comprends, c'est qu'elle craint qu'il ne l'aime plus après ce voyage. Je ne vois pas pourquoi ce serait le cas. Il a l'air tellement attaché à ma sœur.

— Cristelle, attends-nous, crie Vilmont à son exubérante petite sœur.

Elle continue à sauter comme une sauterelle, trop occupée à s'amuser. Odélie suit la cadence tant bien que mal. Cristelle la tire pour qu'elle avance plus vite. Odélie résiste puis arrête complètement, secouant la main de Cristelle pour se libérer. Elle regarde quelque chose qui a l'air de la fasciner. Puis elle se penche.

J'arrive près d'elle et j'aperçois un chat noir au pied d'un grand arbre. Ensuite, je remarque une platebande déjà bien fleurie près du bâtiment. Ça sent bon.

— C'est ici qu'habite la famille syrienne dont je vous ai déjà parlé, nous apprend Vilmont. Je me demande comment va le gars de mon âge. Ça fait longtemps que je ne suis pas allé chez eux avec Kamel. Il avait l'air tellement perdu la dernière fois.

— On va voir ?

Ma question a fusé sans que j'y pense. Nous nous regardons un moment puis nous entrainons Cristelle et Odélie vers la porte du bâtiment.

Je lève la tête. Quelqu'un nous observe à une fenêtre.

MOONIF

Chapitre 1

Enfin.

Nous arrivons !

L'avion atterrit. Durement.

Nooda crie.

—Moonif ! Ça va exploser !

Ma sœur éclate en sanglots. Moi, je me retiens. Souzan et Sami, comme mes parents, se crispent dans leurs sièges. Des statues de marbre. Leurs visages sont remplis de terreur. Le mien aussi, sans doute. J'essaie de faire le brave, moi, l'ainé. Pourtant, je ne suis pas plus courageux que ma sœur Nooda. Elle a treize ans, moi presque dix-sept. Je sais que la terreur fait partie de moi, qu'elle m'emprisonne dans un état d'urgence, de survie. La terreur a pris toute la place dans ma tête. Y aura-t-il un jour un petit coin pour le bonheur ?

L'avion roule lentement sur le tarmac. Il tremblote. Nooda pleure toujours. Elle tremble. Moi aussi. J'essaie de me contrôler.

Par le hublot, je vois des grains blancs qui volent.

— Regarde. De la neige !

Je touche la main de Nooda pour attirer son attention. Elle tourne la tête vers moi et esquisse un mince sourire. Elle est si jolie quand elle sourit.

— C'est beau, murmure-t-elle en essuyant une larme avec sa main.

— Oui, c'est beau. Tu vas voir, on sera en sécurité ici. Tu vas bien t'amuser aussi. Tu auras des amis. Tu seras heureuse.

J'aimerais tant la réconforter. En lui parlant, j'essaie aussi de me convaincre que le malheur est vraiment derrière nous, qu'il est resté de l'autre côté de l'océan, qu'il ne nous retrouvera pas. Je voudrais que tout ça ne se soit jamais passé, que ma famille n'ait pas vécu cet enfer et qu'à partir de maintenant tout soit agréable. Mais qui connait l'avenir ?

Décembre. On nous a avertis qu'il ferait très froid quand nous arriverions à Montréal. Que l'hiver était long et rude. Je devrai m'habituer au froid et à bien d'autres choses. À quoi ? Je ne sais pas exactement. Tout sera différent, c'est certain. Je dois me faire à l'idée. C'est ici que je vivrai avec ma famille maintenant. Loin de la guerre. Loin de mon pays, de ma ville en ruines. La Syrie. Alep, ma ville bombardée, disloquée, anéantie. Le pays que j'aimais, la ville que j'aimais. Là où nous vivions heureux entourés de toute notre famille, où nous mangions à notre faim en parlant tous en même temps autour de la table. Oui, heureux, avant toute cette folie meurtrière.

J'avais si peur. Nous avions tous si peur. À chaque minute. On ne s'habitue jamais à l'horreur. Et parmi l'horreur, il y a des horreurs encore pire que d'autres. Celles-là, elles nous hantent pour toujours.

Je fixe la neige par le hublot. Pour chasser toutes les autres images. Je me concentre sur les flocons qui tombent en douceur. Je voudrais recommencer à rêver.

Il parait qu'on vit en paix ici. Paix ? Je ne me souviens même plus ce que signifie ce mot. Saurai-je comment m'y prendre pour vivre en paix ?

Ce sera peut-être plus facile pour Souzan et Sami de se glisser dans un monde paisible, d'effacer de leur mémoire les images de cauchemar. Les jumeaux n'ont que six ans et maman les gardait toujours près d'elle. Elle les protégeait du mieux qu'elle pouvait, leur inventait des histoires pour expliquer les bruits d'explosion, une maison écroulée. J'espère que son stratagème a fonctionné un peu et qu'ils seront moins marqués que Nooda et moi. Comment savoir exactement ce qui se passe dans leur tête ? Comment lire dans leurs yeux ? Oublieront-ils tout ?

Sami est debout sur son siège. Le regard grave, il observe les passagers qui s'agitent avec leurs bagages. Sur les genoux de maman, Souzan suce son pouce. Maman lui caresse les cheveux en la berçant. Les yeux noirs de ma petite sœur se ferment malgré elle. Le voyage a été long.

Papa se lève dans l'allée et descend quelques sacs du compartiment à bagages. C'est le moment de se préparer à sortir de l'avion. Je me lève en même temps que Nooda. Nous prenons chacun un paquet que nous tend papa. Les voyageurs avancent dans le couloir. Moi en tête, nous les suivons. J'entends Souzan pleurer un peu. Sami demande où on va. À la porte de l'appareil, le pilote me sourit. L'agente de bord me souhaite la bienvenue dans ma langue et me sourit aussi.

Mon cœur bat fort. Je leur souris. Je peux encore sourire.

Je me retourne. Les autres me suivent. Je mets le pied sur la passerelle.

Mon cœur s'envole. Je me dis que tout est peut-être possible, qu'une autre vie commence là, à cet instant précis. Que c'est à moi de construire mon bonheur, que ce ne sera pas nécessairement facile, mais que je dois y croire. Oui, j'ai des chances de réussir dans un pays libre. Libre et en paix.

Je ne suis pas mort. La guerre ne m'a pas tué, n'a pas tout tué en moi. Cette pensée me rassure.

Nous avançons lentement dans l'aérogare. Nooda tient Souzan par la main. Elle la tire pour qu'elle marche plus vite. Devant et derrière nous, d'autres Syriens. Nous étions une quarantaine sur ce vol. Nous suivons le flot des voyageurs, sans nous presser. Pas besoin de courir. Nous ne fuyons plus.

On nous dirige vers une pièce où des gens nous accueillent. Des interprètes nous expliquent tout le processus d'entrée au Canada. Nous devrons suivre les étapes, malgré notre grande fatigue. Je regarde maman. Elle a l'air à bout, mais réussit à me sourire. Papa reste sérieux. Sami et Souzan sont assis par terre. Nous attendons notre tour, silencieux.

Chacun de nous rencontre un médecin. L'interprète nous apprend que celui-ci assure que nous sommes en assez bonne santé et que nous récupèrerons vite toute notre énergie après quelques nuits de sommeil et de bons repas. Avant de nous quitter, le médecin caresse les cheveux de

Souzan, lui chatouille le menton et nous souhaite bonne chance. Nous recevons ce qu'on appelle ici une carte d'assurance-maladie et un numéro d'assurance sociale. Je comprends que ces deux documents nous donneront droit à des services médicaux et nous permettront de travailler dans notre nouveau pays.

Puis, nous allons dans une autre pièce. Il y a des montagnes de vêtements. Plusieurs personnes nous entourent, nous jaugent, et nous aident à choisir la bonne taille pour des manteaux chauds et des bottes. On met des peluches dans les bras de Sami et Souzan. Un ourson et un lapin, tous les deux blancs comme la neige. À Nooda, on donne un bracelet. À moi, une montre. Mes parents reçoivent un document avec le drapeau canadien dessus. Nous enfilons nos manteaux. Nous avons les bras pleins.

Nous arrivons à une longue table remplie de paniers de chapeaux et d'écharpes. On nous invite à choisir ce qui nous plait. Maman ne veut pas arrêter et nous demande de passer droit. Elle est si fatiguée, nous dit-elle. Nooda hésite. Une dame s'approche de nous et tend un petit carton à maman et lui demande de lire. Elle refuse. Nooda le saisit et nous le lit. Il est écrit en trois langues, dont l'arabe, la nôtre. J'écoute les mots.

« Au Canada, chaque nouveau-né est accueilli en recevant un petit bonnet pour le préserver du froid. Des milliers de Canadiens et de citoyens au-delà de nos frontières ont pensé que vous deviez, vous aussi, recevoir le vôtre au début de votre vie avec nous… Ce bonnet (nommé "tuque", ici) a donc été fabriqué pour vous par un citoyen qui espérait votre arrivée et qui souhaitait, plus personnellement, vous souhaiter la bienvenue, la chance, la chaleur et l'espoir dans votre nouveau pays. Vous êtes enfin ici ! Bienvenue chez vous ! »

Je vois le visage de maman changer, ses yeux se remplissent de larmes.

— Des gens ont fait ça pour nous ? Vraiment ?

Elle a maintenant un doux sourire, ce sourire que j'aime, celui du bonheur d'avant. Elle met la main dans un panier et en sort un chapeau bleu azur. Elle l'essaie, l'enlève et en choisit un violet, de la même couleur que des fleurs de notre jardin à Alep. Puis, nous nous y mettons tous et cherchons, avec des éclats de rire, la tuque qui deviendra la nôtre, celle qui deviendra le symbole de notre arrivée ici. Nooda en trouve une rose en forme d'oiseau. Elle la met et sautille de joie. J'ai une sœur flamant rose ! Maman s'esclaffe et continue de fouiller avec entrain dans les paniers. Bientôt, Sami est coiffé d'un hibou gris et Souzan, d'une belle fraise ! Moi, je choisis une tuque noire avec des motifs géométriques multicolores. Papa en prend une avec du noir, du rouge et du vert. Avec les couleurs du drapeau de notre pays.

Autour de nous, plusieurs de nos compagnons de voyage ont déjà leurs chapeaux sur la tête et se dirigent vers le carrousel des bagages.

Dans quelques minutes, ce sera à notre tour de marcher vers notre nouvelle vie. Nous récupèrerons ce que nous avons pu sauver de notre passé, quelques valises contenant des vêtements usés, un album de photos de notre maison, du jardin, de nous autour d'un repas. Et une assiette héritée de ma grand-mère maternelle, une assiette très précieuse pour maman. Nos valises contiennent ce qui reste de notre vie en Syrie. Bien peu de chose.

Nous marcherons vers l'inconnu et nos espoirs, en tentant de laisser derrière toutes nos souffrances. En tentant d'écrire une nouvelle histoire et d'effacer les images noires de cette guerre dans mon pays.

Est-ce vraiment possible ?

Chapitre 2

Kamel est là. C'est un grand gaillard, souriant, qui parle avec ses mains. Depuis que nous avons emménagé dans l'appartement, il est souvent chez nous. Il parle notre langue et il nous aide pour un peu tout. On pose beaucoup de questions. Il est patient avec nous. Il y a pas mal de choses différentes ici. En fait, tout est différent. Février. Après un peu plus de deux mois, on est loin, très loin, de tout avoir appris. J'ai peur de ne pas tout retenir. Il faut parfois que je répète des explications à mes parents. Parfois, c'est eux qui nous aident à comprendre. Ma tête déborde de nouvelles notions, d'explications sur la manière de prendre les transports en commun, de détails sur le fonctionnement de la vie au quotidien. Quand je me couche, j'essaie de me rappeler de tout ce que j'ai vu et entendu au cours de la journée. Tout ça se mélange aux souvenirs de ma vie en Syrie. Je tourne dans mon lit, me retourne. Impossible de fermer les yeux.

Oui, tout est si éloigné de ma vie d'avant. Et la neige continue de tomber. Il y en a beaucoup plus que ce à quoi je m'attendais. Marcher sur les trottoirs glacés, même avec mes bottes, est périlleux. Sami et Souzan adorent jouer dehors. Ils ont vite trouvé comment s'amuser avec toute cette neige. On dirait qu'ils n'ont jamais froid, eux. Moi, la chaleur me manque.

Aujourd'hui, Kamel est arrivé avec un garçon de mon âge. Vilmont, son nom. Un costaud! Ils nous ont apporté un sofa. Papa et moi les aidons à le placer dans le salon. Avec ce fauteuil, l'essentiel de l'ameublement est complété. Nous sommes installés dans cet appartement depuis deux semaines. Avant, nous étions logés dans un hôtel, comme d'autres Syriens. Des gens nous ont accompagnés pour visiter des logements. Papa nous a expliqué que nous devions choisir rapidement un endroit où habiter pour recommencer à fonctionner normalement dans la vie. Nous voilà donc ici, même si, au dire de maman, le logement est trop petit pour nous six. Elle a raison, c'est exigu, mais au moins c'est calme et lumineux. Ma mère songe souvent à notre maison à Alep avec ses nombreuses chambres et son jardin luxuriant. C'était vraiment beau, chez nous. Avant la guerre. Elle pleure souvent.

Papa a raison. Il faut bâtir notre nid au plus vite pour pouvoir prendre en main notre vie. Avoir une routine du quotidien nous aidera.

Nous voilà donc dans un logis avec trois chambres à coucher, cuisine et salon. Les armoires de la cuisine sont pleines de vaisselle et de chaudrons. On nous a aussi donné des vêtements, des couvertures et même des jouets. Beaucoup de jouets. Les gens ont été généreux pour nous et nos compatriotes.

Devant l'immense fenêtre du salon, il y a un arbre. Ça fera du vert devant chez nous en été. Il y aura aussi la danse des feuilles sous le vent.

Maintenant, nous vivons dans un édifice où il y a cinq autres loyers, dans un quartier où il y a plusieurs de ces bâtiments. Quand je regarde par la fenêtre, parfois des images de la désolation d'Alep se superposent à ce que je vois ici, à cette rue bien ordonnée. On dirait que je n'arrive pas à croire qu'il n'y aura pas de bombes ni de tirs de mitraillette. Je secoue la tête pour chasser ces images macabres. J'observe la rue de longues minutes pour calmer mon cœur. Je vois passer des gens emmitouflés marchant sans se presser, des enfants qui courent, des chiens qui errent, des autos qui se stationnent ou partent. Pas de cris de peur, pas de bruits horribles. Pas de sang. Oui, chasser les images…

On nous a dit que, dans ce quartier, les gens viennent de partout. Kamel est Algérien. Et maintenant Canadien. Il habite à deux blocs d'ici. Il est arrivé depuis douze ans. Il semble bien connaitre son pays d'adoption. Il a épousé une Québécoise. Il a deux enfants, Lydia et Tommy, qui sont déjà amis avec les jumeaux. Kamel est bavard. Il raconte parfois des anecdotes qui nous font rire. Il nous affirme que nous allons aimer Montréal. « Surtout l'été », ajoute-t-il en riant fort. Il nous encourage. Il dit aussi que notre adaptation ne sera pas toujours une partie de plaisir, que nous connaitrons des difficultés, mais qu'il a confiance que nous réussirons à trouver notre place, que nous nous ferons des amis. Lui, il y est arrivé. Pourquoi pas nous, lance-t-il souvent. Nous avons tous besoin de sa bonne humeur et de son aide.

Aujourd'hui, je doute de tout. Je regarde maman et j'ai l'impression qu'elle se sent comme moi. Je suis perdu. Complètement perdu. Derrière, je veux tout oublier. Devant, je ne sais pas ce qui m'attend. Présentement, je n'ose pas avancer. Je reste immobile. J'attends. J'attends quoi ? Un signe ? Une révélation ? Un ordre ? Je suis sorti de l'enfer. Pourquoi ai-je tant de difficulté à bouger, à croire que tout ça est derrière, à reprendre confiance dans la vie et en moi ?

— Vous verrez, dit Kamel, vous pourrez réaliser vos rêves ici.

— Ça fait longtemps que je ne rêve plus, remarque maman en baissant la tête.

— Eh bien moi, réplique Nooda, je rêverai aussi pour toi. Pour nous tous.

Ma sœur a les yeux brillants. En la voyant aussi décidée, mon cœur gonfle. Elle a raison. Je dois trouver le chemin de mes rêves. Je sais aussi que je dois apprendre la langue des habitants pour aller vers eux.

J'ai hâte de retourner à l'école, d'étudier. En Syrie, j'avais de bonnes notes. Nous suivrons tous des classes de francisation. Papa connait quelques mots de cette langue. Je me promets de mettre tous mes efforts pendant les cours. Je serai dans les classes d'adultes, peut-être même avec mes parents. Je veux que ma famille puisse compter sur moi pour les soutenir dans cet apprentissage. Tout sera nouveau : l'alphabet, la calligraphie, la prononciation et les phrases. Et plus vite nous aurons les rudiments, plus vite nous pourrons communiquer avec les voisins, les commerçants. Là, c'est comme si nous étions analphabètes, alors que nous savons lire et écrire notre langue.

Sauf les jumeaux, qui ne sont jamais allés à l'école. Ce sera peut-être plus facile pour eux.

Je suis l'ainé. Mes parents comptent beaucoup sur moi pour donner l'exemple. Je dois foncer, mettre mon énergie à comprendre notre nouvel environnement, aider ma famille dans la vie de tous les jours. Je suis le plus vieux de la fratrie, le plus grand. Tout repose sur mes épaules, on dirait. C'est lourd. Très lourd. Je ne crois pas être à la hauteur des attentes de ma famille. Dans leurs yeux, je vois qu'ils ont confiance en moi. Comment ne pas les décevoir ? Je dois me montrer fort, courageux alors que je ne le suis pas. Que je ne le suis plus.

Tout tourne tellement vite dans ma tête. Je voudrais que ça arrête ! Ne plus me voir courir dans les rues crevées. Effacer l'image de Fathi qui explose, de son bras qui tombe devant moi. Du sang sur moi. Oublier que mon meilleur ami est mort alors que moi je suis ici, sain et sauf. Sans lui.

Mes oreilles bourdonnent. Tir de mitraillette ? Je dois rester debout, ne pas me lancer au sol. Je suis à Montréal, en sécurité. Je secoue la tête pour dissiper mon trouble. Je fixe Kamel. J'essaie de me concentrer sur ses paroles encourageantes pleines d'entrain. Il a l'air si détendu et heureux. Papa, lui, a les mâchoires serrées, les poings fermés. On dirait qu'il reste prêt à bondir. Pour nous défendre. Pour sauver nos vies. Comme si l'ennemi était encore partout.

Neuf semaines, c'est trop court pour ne plus craindre les autres. Même s'ils ont le sourire large.

— Merci. Maintenant, tout est complet avec ce fauteuil, dit papa.

— N'hésitez pas à demander s'il vous manque quelque chose. Ça me fera plaisir de revenir. Et puis, mes enfants aiment jouer avec les vôtres, affirme Kamel.

— Quand nous serons parfaitement installés, nous mangerons tous ensemble, votre famille et la nôtre, promet maman.

— Ce sera un honneur, affirme Kamel en inclinant la tête.

Je suis content que maman lance cette invitation. Est-ce que ce sera le début d'un véritable recommencement pour elle ?

Au fond, nous sommes tous pareils. Nous hésitons à franchir tout à fait le pas vers notre nouvelle vie. Nous restons prisonniers de nos souvenirs et aimerions que tout soit comme avant, lorsque nous étions chez nous. Quand c'était la paix. Ce pays deviendra-t-il le nôtre ? Le mien ? Combien de temps me faudra-t-il pour me sentir chez moi ici ? Comme Kamel.

Un an ? Cinq ans ? Dix ans ?

Jamais ?

Non, j'espère que non…

En regardant les images de mon pays en ruines, je sais que je suis mieux ici, même avec le froid et la neige. Même en habitant un logement où nous sommes un peu trop à l'étroit. Je le sais, mais je souhaiterais que rien de tout ça ne soit arrivé.

Comme maman, je rêve de notre jardin à Alep, de la douceur de notre vie là-bas. Kamel et son compagnon enfilent leurs bottes.

— À bientôt, dit-il d'une voix joyeuse. Tu viens, Vilmont ?

Le garçon nous salue d'un grand sourire. Il a l'air aussi sympathique et bien dans sa peau que Kamel.

Ils sortent, laissant quelques confettis de bonheur dans l'appartement.

Chapitre 3

Quel changement depuis que mai est commencé ! On est le 10, il n'y a plus aucune trace de neige en ville. Elle a fondu à une vitesse vertigineuse en avril. Le soleil est chaud. À l'abri du vent, d'après Kamel, ça donne une idée de ce que sera l'été à Montréal.

Quelle différence aussi dans ma famille ! Un vent d'espoir s'est faufilé dans l'appartement. Maman est souvent pleine d'énergie et de plus en plus souriante. Elle a maintenant la tête remplie de projets.

Tout a changé pour elle quand, aidée du fidèle Kamel qui traduisait, elle a suggéré au propriétaire de faire une platebande devant l'immeuble.

— Ça pourrait être un début de jardin, a-t-elle dit. Vous verrez, ce sera beau et je crois que vous aurez envie d'agrandir la platebande l'an prochain.

Kamel s'est mis à rire de son audace.

— Oui, bonne idée! s'est aussitôt exclamé le propriétaire. On verra bien pour l'an prochain. En tout cas, ça embellira le terrain de l'immeuble, c'est certain. Je vais préparer l'emplacement rapidement. Je vous fournirai les outils de jardinage. Je compte sur vous pour planter, arroser, désherber. Ça vous va?

— Ce sera un plaisir d'ajouter des couleurs et des parfums ici. Vous êtes très gentil! Vous ne serez pas déçu, a-t-elle promis avec enthousiasme.

— J'ai confiance. Et puis, on ne sait jamais, peut-être que ça donnera envie aux autres de faire la même chose. Je suis le premier à avoir planté un arbre devant l'immeuble. Il y en a quelques-uns maintenant dans la rue. C'est un tilleul. Son feuillage est magnifique, vous ne trouvez pas? Vraiment, avec des fleurs en plus, ce sera beau. Merci beaucoup, madame.

Kamel a traduit. Maman a été ravie, et surtout étonnée, que tout soit conclu si facilement. Elle a trouvé des graines à l'épicerie puis a semé, dans des petits pots, ce qui deviendrait des fleurs bleues, blanches et jaunes cet été. Depuis, elle surveille les pousses, les arrose, les bichonne. Elle a une occupation qui la passionne et lui fait un peu oublier son exil. C'est merveilleux de la voir revivre. Je reconnais ma mère d'avant la guerre. Celle aux mille et un projets, active du matin au soir, curieuse de tout, tendre et attentionnée. Après ces quelques mois dans le flou, elle a repris confiance en l'avenir. J'aime la voir comme ça. Elle me donne envie de croire à tout. Un jour, je deviendrai un véritable citoyen de ce pays, j'y travaillerai, j'aurai une famille, je profiterai de cette précieuse paix. Mais avant, je dois apprendre à communiquer avec les gens d'ici. Et ça, c'est un grand défi pour nous tous. Nooda et les jumeaux sont dans des classes d'accueil dans deux écoles différentes. Ils sont avec des enfants d'un peu partout. Tous les trois nous racontent leurs journées. Ils nous apprennent des mots, des bouts de phrases. Nooda semble déjà se débrouiller plutôt bien. Elle est si curieuse!

« Ce n'est pas difficile », affirme-t-elle avec un grand sourire. Chaque jour, elle revient avec des anecdotes amusantes arrivées en classe. C'est un vrai rayon de soleil pour nous tous. Nooda est forte et déterminée. Elle nous entraine dans son sillage, nous prouve à tous que c'est possible de se créer une belle vie ici. Il faut bien que je l'admette : c'est elle qui agit en chef. Elle s'est vite adaptée à la situation et nous pousse, par ses actions, à faire de même. Moi, je traine derrière.

Papa met beaucoup d'effort pour apprendre le français. Moi aussi, bien sûr. Les cours de francisation sont agréables. Simone, l'enseignante, nous encourage à parler. Oui, on parle. On essaie, en fait. On a tous de la bonne volonté, mais ça ne donne pas nécessairement d'excellents résultats. On rit souvent. Je suis le plus jeune et les autres me taquinent. Maman est dans le même groupe, mais parfois elle doit rester à l'appartement parce qu'un des jumeaux ou Nooda est malade et qu'ils ne sont pas allés à l'école. Ces jours-là, à notre retour, nous devons lui raconter en détail tout ce qui s'est passé en classe. Elle nous demande aussi des nouvelles de Soraya qu'elle a connue au cours et avec qui elle a vite sympathisé. Maman est de meilleure humeur depuis qu'elle a une amie qui vit la même chose qu'elle. Elles parlent de leur vie d'avant, de ceux laissés derrière, de leurs inquiétudes et aussi de leurs espoirs. Parfois, elles cuisinent ensemble chez nous ou chez Soraya. Avec la promesse de la platebande devant l'immeuble et son amie, maman semble avoir trouvé un certain équilibre.

Je les observe tous. Les jumeaux ont des copains et rient facilement. Ils se sont vite adaptés à leur environnement. Nooda, la fonceuse, gobe toutes les informations qu'elle peut pour comprendre le fonctionnement de cette société.

Papa rencontre régulièrement d'autres réfugiés syriens pour savoir comment tout s'arrange pour eux et avoir des nouvelles de notre pays et des connaissances restées là-bas. Je l'accompagne parfois. La guerre fait toujours rage. Les maisons sont en miettes. Les gens vivent encore l'enfer, l'enfer que nous avons réussi à quitter. Rien ne change. En les écoutant discuter, je replonge dans mes souvenirs. Je ne peux m'empêcher de trembler. J'essaie de le cacher. Papa n'est pas dupe. Les autres hommes non plus, mais personne ne fait de remarques. Une des questions qui les préoccupe tous, c'est de savoir s'ils obtiendront un emploi et si celui-ci sera dans leur domaine. Certains sont administrateurs, d'autres, professeurs ou restaurateurs. Papa est architecte. Un excellent architecte. Ils sont conscients de tout ce qu'ils doivent acquérir avant de se lancer sur le marché du travail. La langue, en priorité.

Oui, je regarde ma famille. Chacun semble reprendre espoir ou, du moins, essaie d'aller de l'avant. Je les envie. Moi, je suis encore trop habité par ce que j'ai vécu en Syrie, par ce que j'ai vu, par ma peur, cette peur qui me donne des cauchemars remplis de sang, d'explosions et de corps en morceaux. Par ma révolte aussi. Pourquoi a-t-il fallu que nous vivions tout ça ? Comment me libérer de ma colère ? L'écrire ? La crier ? Frapper ?

Je suis un volcan qui dort. Je suis effrayé par ce que je pourrais faire.

Au matin, je me réveille épuisé. Je voudrais que tout ça arrête! Combien de temps cela se produira-t-il? Toute ma vie? Non! Pitié!

Quand je vois les membres de ma famille vaquer à leurs occupations, organiser le quotidien, quand je les vois tous sourire, je me demande si je suis le seul à être autant perturbé. Comment font-ils pour être si légers? Le sont-ils vraiment ou jouent-ils la comédie?

Je n'ose pas les questionner directement. Je ne veux pas leur imposer ma peine et, par mes propos, les ramener en arrière, dans des moments douloureux.

Si cette guerre n'avait pas eu lieu, je serais en Syrie, chez moi. J'irais à l'école, je jouerais au foot avec mes amis, j'aiderais les jumeaux dans leurs leçons et papa à construire un pavillon dans le jardin. Je tiendrais les fleurs que maman cueillerait pour créer d'énormes bouquets. Je taquinerais Nooda ou une de ses amies. Je flânerais dans les rues d'Alep, juste pour le plaisir de marcher et de sentir le vent sur mon visage. En regardant le ciel, je rêverais d'amour. Fathi serait à mes côtés. Nous bavarderions. Tout serait parfait.

Tout ça n'existe plus et n'existera plus jamais. Non, rien ne sera pareil. Jamais. Quand je pense à ça, ma colère augmente encore. Je serre les poings. J'en veux à tous ceux qui ont fomenté cette guerre, qui continue de terroriser mon peuple et de détruire mon pays. J'en veux à ceux qui ont anéanti notre vie, qui nous ont forcés à tout abandonner, à passer des mois dans un camp surpeuplé, à nous expatrier au Canada. Cette colère m'a envahi comme une tumeur sournoise. Elle grossit encore, me ronge. Parfois j'ai si mal que je perds complètement le contrôle. J'éclate. Je crie des injures à mes parents. Je me déchaine. Je passe d'une pièce à l'autre en lançant sur le mur ce qui me tombe sous la main. Papa tente de me calmer et finit par crier aussi fort que moi. Maman pleure et supplie le ciel. Mon frère et mes sœurs sortent dehors en vitesse. Je fais peur à tous. Je suis un monstre. Je ne vaux pas mieux que les assassins de Syrie. Je pourrais tuer moi aussi. Même si ce n'est pas la guerre ici. J'ai peur de ce qui pourrait arriver. Reprends-toi, me supplie papa. J'essaie de me raisonner. Je voudrais retrouver la paix en moi.

Après les crises, je suis crevé et je m'en veux de faire vivre ça à ceux que j'aime, qui m'aiment. Je deviens amorphe. Papa peut alors me parler. Je l'écoute. Il me conjure de me ressaisir, qu'il comprend ma révolte. Que ce n'est pas en cassant tout que je me libèrerai de ma peine. Je le sais !

— La violence engendre la violence, mon fils. Tu portes la guerre en toi. Tu ne guériras pas comme ça. Invente-toi une nouvelle vie, comme nous essayons tous de le faire. Ne regarde plus en arrière. Chéris tes beaux souvenirs, essaie d'oublier les néfastes. Nous sommes là pour t'aider.

Quand papa me murmure ces mots, ça me semble réalisable. Il y a au moins une chose dont je suis certain : je veux une vie heureuse.

Est-ce possible ?

Je veux me convaincre que oui.

Il faut que ce soit possible. Sinon pourquoi être venu ici ?

Comment y parvenir ?

Certainement pas en nourrissant ta colère, en restant accroché au passé et en t'apitoyant sur ton sort, me dirait Fathi. Mon ami m'en voudrait de ne pas sauter sur la chance que j'ai.

La chance d'être vivant.

Chapitre 4

Une auto explose devant l'immeuble. Je sens le souffle de l'explosion. De la poussière entre par les carreaux brisés. J'entends des rafales de fusils. Je me jette au sol. Dans le coin de la pièce, maman baigne dans son sang. NON !

Je me réveille en sueur. Encore le même cauchemar. J'entends des pas dans le couloir. Papa entre dans la chambre. Il vient me rejoindre. Mon petit frère se frotte les yeux, se tourne dans son lit et se rendort. Mes cris ne l'ont pas dérangé. Lui, il doit rêver à ses jeux avec ses copains.

— Mon fils, je voudrais effacer toutes ces images de ta tête et les remplacer par des images de joie, de fête, souffle papa dans la nuit.

— Tu sais à quoi je rêve ?

— Je fais aussi des rêves semblables. C'est dur.

— Tu ne dors pas non plus ?

— Très peu.

— Le jour, ces images tournent dans ma tête.

— Essaie de penser à l'été qui est là, aux blagues de ta sœur, à n'importe quoi de joyeux. Je te le répète : tu dois te sortir tout ça de l'esprit.

— Je n'y arrive pas.

— Allez, ferme les yeux. Je reste avec toi.

Papa se met à fredonner une berceuse, pour moi, son aîné. Je me concentre sur sa voix, sur les paroles de la chanson. Cette chanson que j'aimais, qu'il me chantait souvent quand j'étais petit. Sa voix m'hypnotise.

Au matin, je me sens fourbu. Je me traine jusqu'à la cuisine, comme un automate. J'avance en titubant. Dehors, le soleil brille. Je vois des bouts de ciel bleu par la fenêtre, entre les feuilles de l'arbre planté devant l'immeuble. Aucun bruit dans l'appartement. Il est onze heures. Les jumeaux doivent être avec les enfants de Kamel. Papa est sans doute déjà parti chez l'un ou l'autre de nos compatriotes ou à la recherche d'un emploi. Maman et Nooda sont peut-être au marché Jean-Talon.

Je m'écrase dans le sofa. J'attends que les minutes s'écoulent, que les heures s'égrènent. C'est mon rituel depuis que les cours de francisation sont finis, que je ne suis pas obligé de quitter l'appartement. Je n'ai plus d'énergie. Finies mes colères. Je me terre. Je ne sors que lorsqu'on m'y oblige. Pour que maman arrête de me sermonner. Je marche, surveillant tout ce qui se passe autour de moi. Je sursaute au moindre bruit. J'essaie de me contrôler, de ralentir mon pas, de redresser mes épaules. De regarder les gens dans les yeux, de me convaincre qu'ils ne m'attaqueront pas, qu'ils ne sont pas là pour se faire exploser. Des images violentes se superposent aux scènes paisibles de Montréal. Je ne reste jamais longtemps dehors, pressé de retourner me cloitrer dans l'appartement où je me sens un peu plus en sécurité.

Je ne me comprends plus. Des mois que ça dure, que j'essaie de me raisonner. Je veux redevenir le Moonif d'avant. Celui qui riait, qui faisait rire les autres. Celui qui avait de l'énergie pour tout, qui aimait dépenser toute cette énergie en aidant sa famille et les voisins. Celui entouré d'amis.

Je ne connais personne de mon âge ici. Sauf le gars qui venait porter des meubles avec Kamel. Vilmont, je me souviens. Un géant souriant. Ça fait longtemps qu'il n'a pas franchi notre porte. Je sais qu'il travaille à un petit magasin à quelques rues d'ici. Une fois, je l'ai aussi vu dans la rue avec une jolie fille. Il l'a embrassée, comme ça, sans gêne, devant les passants. Il est facile à repérer partout avec sa carrure imposante. Après le baiser, j'ai vu son immense sourire pendant qu'il serrait la fille contre lui. Je l'envie d'être heureux et de se sentir assez libre pour embrasser une fille en public.

Libre. Je suis libre. Je suis libre ici. Et c'est la paix, pas la guerre. Je dois me rentrer ça dans la tête. À coup de marteau. Libre. Paix. Pourquoi ai-je si peur ? De tout. Que ça ne dure pas. Que quelqu'un sorte un fusil. Qu'il tire sur moi, sur ma famille. J'ai toujours mille scénarios d'horreur dans la tête. J'en invente de nouveaux chaque jour, couché sur le sofa. Immobile comme un mort. Je suis un mort-vivant.

Je veux revivre…

J'en suis incapable aujourd'hui. Peut-être que demain je réussirai à me lever tôt, que je marcherai avec assurance jusqu'à la cuisine, que je saluerai les miens avec bonne humeur, que je taquinerai Nooda comme avant, que je chatouillerai les jumeaux juste pour entendre leur rire, que je préparerai le thé de papa et maman, que je leur dirai que je les aime. Demain, peut-être que je reprendrai le chemin de ma vie. Mais pas là. Demain peut-être. Ou un autre jour. Je veux dormir.

— Lève-toi, Moonif !

Je sursaute. Maman est au-dessus de moi.

— C'est assez. Bouge-toi.

Elle me prend le bras, me secoue et tire pour que je m'assoie. Je me laisse faire. Je n'ai pas de volonté. Elle s'assoit, me prend par l'épaule et me tire vers elle. Je n'ai pas la force de résister. Je m'abandonne. Complètement. Et je pleure sur son épaule. Longtemps.

— Il faut que tu parles, mon fils. Que tu racontes tes cauchemars à quelqu'un. À quelqu'un d'autre que nous. Tu dois libérer ton esprit de toutes ces pensées obsédantes.

Elle me berce, me caresse le dos. Elle me dit qu'elle me voit m'enfoncer depuis des semaines, qu'elle ne sait pas comment me secouer, que son amour ne semble pas suffire, que papa se sent aussi impuissant qu'elle.

Je sanglote. Je sais qu'elle a raison. Je dois vider mon esprit de toutes ces images noires, de cette violence, pour le remplir avec des couleurs joyeuses.

— Nous nous sommes renseignés. Kamel nous a aidés à trouver quelqu'un pour t'écouter. C'est un homme qui a entendu beaucoup d'histoires comme la tienne, comme la nôtre. Il sait que chacun réagit à sa manière. Tu pourras tout lui dire. Ce sera un secret entre lui et toi.

Je me calme doucement.

— Ton père et moi croyons que c'est la chose à faire. Parler à un inconnu. Bien sûr, tu pourras aussi tout nous raconter, si tu en as envie.

Je me détache de l'épaule de maman. Je la regarde. Elle a les yeux mouillés. Je m'en veux de la faire pleurer. Je m'en veux de la décevoir, de ne pas être un fils assez fort pour aller de l'avant alors que tout est possible dans notre nouveau pays. Je m'en veux aussi de ne pas être capable de me reprendre en main tout seul. Je suis un lâche.

— Tu n'as pas à avoir honte, continue maman. Ce que nous avons vécu laissera toujours des traces en nous. Non, personne de nous n'oubliera ces années de guerre et tout ce que nous avons perdu. Nous ne vivons plus là-bas, mais nos cœurs resteront toujours attachés au passé. Tu es jeune. Tu as une longue vie devant toi. Pour sortir de ton chagrin, tu dois accepter qu'on t'aide. L'homme dont Kamel nous a parlé semble être la bonne personne. Je ne te laisserai pas sombrer. Non, Moonif. Jamais. Je t'aime et je suis convaincue que tu finiras par reprendre le dessus. Je sais aussi que tu n'y arriveras pas si tu restes prostré et que tu continues de t'isoler comme ça.

J'écoute sa voix, sa voix douce, mais autoritaire et convaincante. Les mots s'infiltrent dans mon cerveau. Comme des clous enfoncés par un marteau.

— Pour commencer, tu dois te lever et bouger. Juste ça. C'est le premier pas. Aie confiance. Moi, j'ai confiance en toi. Viens, suis-moi. J'ai besoin de toi.

Elle quitte le sofa, me tend la main. J'hésite.

— Allez, viens te mettre les mains dans la terre. Tu verras que ça calme l'esprit. Allez, grouille-toi. Tu vas désherber la platebande avec moi. Il faut que tout soit beau. Je ne veux pas que le propriétaire regrette de m'avoir confié cette tâche.

Je la regarde un moment. Ses yeux me supplient. Elle attend.

Non, je ne veux pas la décevoir davantage. Je veux redevenir moi-même. Je me donne une poussée et me voilà sur mes jambes, suivant maman lentement. Nous ouvrons la porte de l'appartement, descendons l'escalier, poussons la porte vers l'extérieur.

Dehors, le soleil de juin est chaud, comme il l'était à Alep. Je ferme les yeux et tend mon visage vers le ciel. Je respire un grand coup. J'expire longuement, jusqu'à ce que mes poumons soient douloureux. Je me vide complètement de mon air en espérant que ma tête se videra aussi des pensées tristes. Je respire de nouveau. À fond. J'ai l'impression que je me remplis de soleil. J'entends des rires, une auto qui passe, un chat miauler, un homme chanter. Un klaxon. J'entends les bruits de la vie.

J'ouvre les yeux. Je vois le gars, Vilmont, qui marche rapidement sur le trottoir de l'autre côté de la rue. Il siffle. Il doit aller rejoindre sa copine. Ou travailler.

Il me fait un signe de la main, me sourit, puis continue sa route.

Il m'a vu.

Il m'a reconnu.

J'existe pour quelqu'un de mon âge à Montréal.

— Tu viens, Moonif ? Je te montre comment faire.

— Oui.

Je m'agenouille devant la platebande. Une à une, j'enlève les mauvaises herbes qui nuiront aux fleurs choisies par maman.

Je pense à Vilmont me faisant un signe de la main.

Je souris aux fleurs.

— Tu vois, j'avais raison, jouer dans la terre, ça allège le cœur, remarque maman.

Chapitre 5

Tout est joyeux dans l'appartement. Maman et Soraya ont cuisiné pendant des jours pour ce repas. La table est pleine de victuailles. Des mets syriens, ceux que nous mangions chez nous les jours de fête. Au centre trône un immense bouquet de giroflées et d'héliotropes, fleurs coupées dans la platebande que nous avons entretenue devant l'immeuble. Tout ça sent divinement bon.

Kamel et sa famille sont là. L'amie de maman avec les siens aussi. Leur fille, comme moi, se tient en retrait. Les enfants se faufilent entre les adultes, se taquinant l'un l'autre. Sami, Souzan, Lydia et Tommy sont inséparables maintenant. Nooda a aussi plusieurs amies. Elle a invité Violeta et Milly. Pour le moment, les deux filles font le tour de la table et posent des questions sur chaque plat à ma sœur. Nooda nomme les mets et leur explique ce que chacun contient. Elle leur montre la précieuse assiette de grand-maman remplie d'olives. Elle explique avec le français qu'elle connait et semble comprise par ses copines. Ma sœur a un talent pour les langues, je crois, et plus de volonté que moi. Elle rigole à ce que racontent Violeta et Milly, et les fait rire aussi. Toutes les trois gesticulent beaucoup. Les gestes appuient les mots. Elles se comprennent, c'est l'essentiel.

Je regarde tout ce beau monde. Je remarque des sourires, des yeux pétillants, des mouvements de mains expressifs. Moi, je suis calme. Appuyé près de la grande fenêtre, j'observe en silence et je constate que le bonheur s'installe de plus en plus dans les cœurs des miens et de nos amis. Ça se voit dans la manière de bouger de chacun, dans un rire qui éclate. Kamel n'arrête pas de lancer des blagues. Sa femme a un rire étonnant, comme une cascade bouillonnante. J'adore l'entendre. Il réveille ma joie d'être vivant.

Début aout. Presque huit mois que nous sommes arrivés à Montréal. Depuis que je rencontre le psychologue, je me sens beaucoup mieux maintenant dans cette ville. Je ne crains plus de déambuler dans les rues, même si encore parfois je sursaute à cause d'une porte d'auto qui claque trop fort. Ou un vélo qui passe trop vite. Je crois que ça va prendre du temps avant que je perde complètement ce réflexe. C'est comme ça. L'important, c'est que j'aie envie d'explorer, de découvrir cette ville et ses gens. Montréal, c'est une planète à elle seule. On y entend toutes les langues, on y voit des habits de toutes les sortes. J'imagine que chacun peut y trouver sa place.

Mes parents ont tenu à assister à des festivals de musique en plein air. Nous partions en famille, avec un sac rempli de collations et d'eau, pour nous rendre au Quartier des spectacles ou dans des parcs. Les premières fois, alors que les autres semblaient détendus, moi, je restais à l'affut. Je surveillais tout. Pour me changer les idées, papa venait me parler, me poser des questions ou me faire remarquer des détails d'architecture. Il a le tour, mon père, car il réussissait presque chaque fois à ce que je me concentre sur ces propos au lieu de mes peurs. Nooda venait près de moi pour profiter des connaissances de papa. Elle me tenait le bras. J'avais l'impression qu'elle me transmettait un peu de son courage et de sa force. J'aime quand ma sœur me tient le bras.

Parfois je repense à Nooda quand nous avons atterri durement à Montréal. Je repense à son cri. « Moonif ! Ça va exploser ! » J'avais peur moi aussi, mais je me devais d'être le grand frère rassurant, fort, protecteur. Je sais maintenant que j'étais fragile et vulnérable, que ma sœur, elle, a une réserve inépuisable de courage. Elle a déjà trouvé sa place ici. Avec sa gentillesse et son altruisme, elle attire les gens comme un aimant. Elle est faite pour le bonheur et elle le crée autour d'elle. Je l'aime, ma sœur. Elle est merveilleuse.

Les convives se servent, affirmant qu'ils veulent gouter à tout. Kamel félicite maman, assurant qu'elle a réussi le meilleur *chich barak* au monde. Maman, rougissante, lui demande s'il en mange souvent.

— C'est la première fois, dit-il en éclatant de rire.

Les gens s'esclaffent. Vraiment, Kamel a le don de mettre de l'atmosphère. À côtoyer des gens venus de partout, il a appris à tirer parti de toutes les situations. Pour nous tous, sa bonne humeur et son humour nous ont aidés à passer au travers de situations angoissantes. C'est un ami de la famille. Il se dit fier d'en être un et ajoute que ce qu'il a fait pour nous allait de soi. À son arrivée, quelqu'un était là pour lui. C'était donc naturel que ce soit à son tour d'être là pour faciliter l'intégration de nouveaux arrivants.

Je me demande ce que nous serions devenus sans lui.

J'observe les visages. Je n'y vois que de la joie.

Nooda vient me rejoindre.

— Tu ne t'amuses pas ?

— Oui, j'aime les voir tous aussi heureux. Ils semblent tous si bien là, chez nous, à manger des mets de Syrie.

— Des recettes de chez nous cuisinées avec des ingrédients achetés dans notre ville d'adoption. On a réussi à recréer un peu de notre vie d'avant.

— Tu as raison, mais ça ne sera jamais pareil.

— Non, évidemment. Moi, j'aime ma vie ici. J'aime l'école, pouvoir dire ce que je pense, apprendre avec des gens venus de partout au monde. Ceux qui enseignent sont gentils et je sens que je suis importante pour eux.

— Mais est-ce que nous nous sentirons vraiment Québécois un jour ?

— Je ne sais pas. J'imagine que ça dépendra de chacun de nous. Les jumeaux ont peut-être plus de chance de devenir de vrais petits Québécois. Ils n'auront pas beaucoup vécu en Syrie. Pour toi et moi, je ne sais pas. Et nos parents, j'en doute.

— Nooda, quand la guerre sera finie, est-ce que tu voudrais retourner vivre à Alep ?

— Non, jamais, me répond-elle vivement. J'ai connu ce que c'était que de se sentir libre, en sécurité. Je sais qu'ici, je pourrai étudier et travailler dans un domaine qui me passionnera. Tous mes rêves pourront devenir réalité. Oui, je resterai ici. Et toi ?

Je me doutais bien qu'elle allait me relancer la balle. J'ai beaucoup pensé à cette possibilité depuis quelque temps.

— Si la Syrie devenait un pays de paix, je crois que je réfléchirais sérieusement et que peut-être je retournerais m'y installer. Mais jamais je ne veux revivre ce qu'on a vécu.

— Alors dis-toi que tu fais mieux de te bâtir un avenir à Montréal, ou partout ailleurs au Canada, parce que tu as plus de chance de vivre en paix ici qu'en Syrie.

Ma sœur, si réaliste, semble avoir réglé des tas de questions, savoir exactement ce qu'elle désire. Sa maturité m'étonnera toujours.

— Allez, viens rejoindre les autres, remplir ton estomac de bonnes choses. Viens rire avec nous, mon frère trop sérieux, m'invite-t-elle en allant vers Milly et Violeta. Profite de la fête et de ces gens qui nous aiment.

Elle se fait bousculer par Sami et Souzan qui portent chacun le chapeau qu'ils ont reçu à notre arrivée à l'aéroport. Le chapeau donné en signe d'accueil avec le petit mot se terminant par *Bienvenue chez vous*.

Huit mois et je commence à peine à sentir que je peux avoir ma place ici. Que j'entreprends une nouvelle vie. Que tout est possible.

Je me tourne vers la fenêtre pour regarder dehors. Je suis soulagé, car aucune image de désolation ne se superpose à ce que je vois.

Maman et moi avons bien travaillé. C'est vraiment beau avec l'arbre et la platebande de fleurs. Et là, en ce moment, on dirait bien que je ne suis pas le seul à penser ça. J'aperçois deux petites filles en admiration devant la platebande. Deux garçons et une fille sont avec elles, des jeunes de mon âge.

Je reconnais Vilmont.

Vilmont et ses amis qui remontent l'allée.

J'attends, le cœur battant.

Je compte les secondes.

Je retiens mon souffle.

J'espère.

Puis, on cogne à la porte.
J'ouvre.
Vilmont me tend la main.
Je la serre.
Je souris devant son immense sourire.
— Entrez. C'est la fête !

ENSEMBLE

Le soleil perce les nuages. Le vent du fleuve traverse le Vieux-Port de Montréal. Il me semble que décembre est plus froid que d'habitude. On est plusieurs sur la patinoire. La majorité glisse avec bonheur, certains louvoient avec habileté, d'autres, comme Moonif, font de leur mieux pour avancer.

— Tu vas finir par trouver ton équilibre, tu vas voir, lui assure Juan en le soutenant. Avec de la pratique, bien sûr.

— Dans dix ans peut-être, lance Moonif en s'étalant sur la glace. Toi, Vilmont, tu es né avec des patins aux pieds.

J'éclate de rire. Pour moi, c'est toujours drôle de voir les autres tomber.

— Je crois que c'est le cas pour tous ceux qui naissent au Québec.

— Et moi, j'ai appris plus jeune que toi. Plus facile quand on est encore un enfant, continue Juan. Mais Luisa a appris encore plus vite que moi. Elle, la neige, la glace, elle adore. C'est une reine des neiges.

— Difficile, répond Moonif en tentant de se relever.

— Allez, tu vas y arriver, l'encourage Juan. Tu as réussi à apprendre le français. Après ça, tout est possible.

Mon ami Moonif est chétif. Il ne parle pas beaucoup. Tout est dans son regard. Ses yeux sombres sont remplis d'un mélange d'appréhension et d'espoir. Il se concentre sur ses mouvements.

Et voilà Luisa qui arrive comme une fusée. Elle freine sec, juste devant Moonif qui vient à peine de se remettre debout. Ça le surprend et vlan, encore à terre.

— Tu es le champion des chutes ! le taquine ma copine. C'est important de savoir tomber quand on patine. N'oublie pas de protéger ta tête. Sinon, ayoye !

— J'ai ma tuque, répond Moonif en lui souriant.

Je sais qu'il trouve Luisa très belle. Qu'il envie ma chance. Il a raison. Je suis un garçon comblé. J'ai des amis formidables, une famille aimante. Et je suis bien avec qui je suis. Depuis mon séjour en Haïti, le calme s'est installé en moi. J'ai vu le pays de mes parents, je l'ai fait mien. Je sais que mon cœur est assez grand pour contenir au moins deux pays. Oui, mon cœur est grand, assez grand aussi pour avoir des tas d'amis. Des amis de partout. Peut-être que j'aurai un jour le gout de découvrir tous les pays de mes amis pour remplir encore davantage mon cœur de belles images. Pour parler de tous ces pays aux autres, dans des livres ou par des photos peut-être. Le voyage en Haïti m'a fait réellement comprendre que je suis un citoyen du monde, que j'aime ce monde et ceux qui l'habitent. On a beau avoir des racines profondes à un endroit, mais rien ne nous empêche d'aller voir plus loin.

Moonif, lui, n'a pas eu le choix de venir ici. C'était une question de vie ou de mort. Il y a un an, il a été parachuté dans une ville inconnue. Il a dû s'adapter. Redécouvrir ce que ça veut dire de vivre en paix, de faire confiance aux autres.

Quant à Juan et Luisa, ils ont trouvé une famille ici. Comme Odélie, leur petite sœur haïtienne.

Aujourd'hui, sur cette patinoire, nous sommes ensemble sous le ciel bleu.

Demain, nous serons encore ensemble, mais ailleurs.

À rire, à nous entraider, à nous taquiner. À vivre.

Je me suis longtemps demandé : où est ma maison ?

Je sais maintenant qu'elle est là où sont ceux que j'aime.

Table des matières